Het dovemansorendieet

Maarten 't Hart

Het dovemansorendieet

Over zin en onzin van gewichtsverlies

Uitgeverij De Arbeiderspers · Amsterdam · Antwerpen

Omslagontwerp: Nico Richter
Omslagillustratie: Henk Helmantel, *Walnoten in bolsters*
(2002, olieverf op paneel, 40 x 62,5 cm)

ISBN 978 90 295 6581 3 / NUR 320
www.arbeiderspers.nl

Ter nagedachtenis aan de vrouw van de visboer

Inhoud

Eetlust

In de windselen was ik een schrokop. 'Gaf ik je een fles,' vertelt mijn moeder, 'dan klok, klok, klok, fles leeg. En dan begon je te blèren. Dat arme schaap, dacht ik dan, 't heeft nog honger, laat ik nog maar een fles geven. Het was Hongerwinter, je had wel niks, maar m'n broers brachten om beurten melk. In de Westgaag zaten ze tussen de koeien, ze konden er tamelijk makkelijk aan komen. Dus dan gaf ik je nog een fles. En weer klok, klok, fles leeg. En meteen zette je dan voor de tweede keer een keel op. Je kon nog zoveel melk geven, maar 't leek wel alsof je nooit verzadigd raakte.'

Het is waar: wat ik ook eet, de trek blijft. Na een welvoorziene dis van drie gangen kan ik moeiteloos bij een chinees op m'n eentje nog een rijsttafeltje wegwerken. Na afloop bespeur ik nog altijd trek. Menigmaal ben ik hongeriger van tafel opgestaan dan ik eraan ging zitten. De ervaring leert dat je van eten honger krijgt. De Franse uitdrukking 'L' appétit va en mangeant' verwoordt een *Binsenwahrheit*. Ik zou niet willen beweren dat ik mijn leven lang honger heb geleden, want van honger, echte honger zoals die in de kampdagboeken of in de roman *Honger* van Knut Hamsun beschreven wordt, is nooit sprake geweest, maar trek, verbijsterend veel trek, ja, daar is ieder moment van de dag sprake van, zelfs nu ik de zestig gepasseerd ben.

Misschien is dat mijn redding. Je weet: er is niets tegen te doen, wat ik ook eet, de trek blijft, dus kan ik evengoed niet eten. Ik jok overigens dat er niets tegen te doen valt. Nadat ik een rauwe winterwortel heb gegeten, ben ik een beetje misselijk en is de trek weg. En zolang de onpasselijkheid blijft, en die kan soms uren duren, ontbreken visioenen van bruine boterhammen met brokkelkaas of volle borden met kundig gewelde, romige biest. Maar ja, elke dag aan de winterwortel, dat gaat ook tegenstaan, dus droom ik 's morgens vaak al van het avondeten en breek ik me er de hele dag door watertandend het hoofd over of ik posteleinstamppot, waterkerscrème, snijbietsoep of raapsteeltjescompote zal maken.

Waar ik er, dankzij mijn eetlust en wellicht helaas genetische aanleg voor diabetes type 2, toe gepredisponeerd ben als een Billy Turf door het leven te gaan, lijkt het een groot raadsel dat ik desondanks, 1 meter 85 metend, slechts 76 kilo weeg. Van een buikje, of iets wat daar daarop lijkt, is geen sprake en is ook nooit sprake geweest. Tailleomvang: 82 cm. Overal steken de botten, onverhuld door een laagje lichaamsvet, door het vel heen. Mijn ribben kun je tellen. 'Iedereen wordt bij het stijgen der jaren ietsje zwaarder,' zegt Brenda Scholten in haar boek *Maak van jezelf geen olifant*, maar bij mij is daar geen sprake van, en misschien is het ook niet zo normaal als Scholten veronderstelt. Professor doctor Ludwig Sternheim uit Hannover zegt daarover: 'Niet steekhoudend is de bewering, dat op rijperen leeftijd een zekere vettoename normaal en zonder bedenking is.'

Ben ik dan zo iemand die alles wat hij binnen krijgt, meteen verbrandt? Ben ik mager omdat ik zo nerveus ben? Een panlat omdat er vrijwel altijd sprake is van racekak? Over de stoelgang mag ik inderdaad niet klagen, en wellicht is dat een van de redenen waarom ik zo mager blijf, sterker nog, in feite zomaar twee kilo kwijt ben als ik even niet oplet.

Toch zijn er goede redenen om aan te nemen dat schijn bedriegt. In het eerste jaar van mijn studie biologie aan de Rijksuniversiteit Leiden woonde ik bij mijn oom en tante te Leiderdorp. Gewend als ik mijn hele leven was geweest aan de schraalhanskookkunst van mijn moeder, en aan de onveranderlijk zo lang doorgekookte aardappels en groenten dat er slechts een ondefinieerbare, fletsgroene drab van restte, bleek de keuken van mijn tante een openbaring. Ze kookte met betere ingrediënten. Ze kookte alles niet tot moes. Ze serveerde bij elke warme maaltijd een flink stuk doorregen vlees, terwijl ik thuis alleen op zondag een miezerig stukje draderig suddervlees voorgezet kreeg. Ze braadde haar malse vlees in echte boter, terwijl mijn moeder het taaie sabbatsvlees braadde in de goedkoopste magarine (een pakje kostte 38 cent, maar in Maasland wisten wij een winkel waar je acht pakjes voor drie gulden krijgen kon, en daar moest ik doorgaans op mijn vrije woensdagmiddag heen). De jus daarvan, flink aangelengd met water, zette mijn moeder elke dag 'in de vetpan' opnieuw op tafel als jus voor over de aardappelen en de groenten.

Mijn tante liet bovendien haar hoofdgerechten altijd voorafgaan door gevulde soepen, en haar nagerechten (soms zelfs flinterdunne flensjes met slagroom en poedersuiker!) werden tot ver over de grenzen van Leiderdorp geroemd. Ook het brood dat mijn tante van haar bakker betrok, was lekkerder dan het Maassluise regeringsbruinbrood waaraan ik gewend was. En ze zette altijd een keur van lekkernijen op tafel die konden dienden als broodbeleg, en uiteraard werd je gesommeerd om voor je je aan dat beleg vergreep, je brood eerst grondig in te smeren met echte grasboter.

De gevolgen bleven dan ook niet uit. Al vrij snel nadat ik daar mijn intrek had genomen, riep mijn moeder als ik in het weekend na twee uur fietsen (lichaamsbeweging!) thuis arriveerde, telkens geschrokken uit. 'O, o, wat heb je opeens een bolle toet gekregen!' Het was waar, mijn gelaatstrekken plooiden zich naar de gelaatstrekken van mijn tante, die overigens van dezelfde hoogrode wangen voorzien was als ik. Ook in omvang begon ik naar haar toe te groeien, maar frappanter nog was het feit dat ik in toenemende mate begon te lijken op de zoon van mijn oom en tante, mijn neef Jan. Die was echt volumineus. Die zag eruit als gekwadrateerd Hollands welvaren. Een en al omvang. Hij was al wat ouder dan ik en had het model van een kuipton. Een praalgraf van aardappelen en jus.

Voordat ook ik het model van een kuipton deelachtig was geworden, werd mijn oom ernstig ziek, en mijn tante drong erop aan dat ik een kamer zou zoeken. Dus zocht ik een kamer en kwam ik bij een weduwe terecht op de Lorentzkade in Leiden. Gedaan was het met de vorstelijke keuken van mijn tante. Voor mijn warme maaltijden was ik aangewezen op de mensa. Het eten daar was doorgaans zo vies dat ik, al mocht je bijhalen als je al één keer genomen had, er zelden toe kon komen vaker dan één keer bij te halen, terwijl het toch in mijn aard ligt om te blijven bijhalen tot ik erbij neerval. Vaak ook werden in de mensa heel vieze gerechten geserveerd, zuurkoolstamppot bijvoorbeeld. Als de geur daarvan, als ik op weg was naar de mensa, mij reeds ter hoogte van de Universiteitsbibliotheek in het gezicht sloeg, maakte ik meteen rechtsomkeert en begaf ik mij naar de Lorentzkade, waar ik op mijn kamer vervolgens een bordje yoghurt nuttigde. Sommigen van mijn jaargenoten, Gerard Heerebout bijvoorbeeld, kookten zelf en een enkele keer mocht ik, mits ik wat verse spinazie meebracht, bij hem eten en warempel, die Gerard kon goed koken, en zijn maaltijden, die wij steevast nuttigden in de zeer brede dakgoot, waar je vanuit zijn zolderkamer op kon klauteren, waren kleine smuloases in een volledig van culinair genot gespeende wereld.

Dankzij de mensa slonk mijn omvang. Mijn bolle toet verdween. Ik ging er weer uitzien zoals ik er altijd had uitgezien. En mijn maag rammelde weer, zoals hij altijd al gerammeld had. Dat er bij mij echter wel degelijk, net als bij vrijwel ieder ander mens, sprake zou kunnen zijn van overgewicht, mits daarbij aan de voorwaarde voldaan wordt dat ik meer eet dan nodig is, bewijzen de schaarse foto's die in dat eerste jaar van mijn studie van mij gemaakt zijn. Op een ervan sta ik in de doorgang achter het huis van mijn tante, en zie je een ballonachtige verschijning met bolle hangwangen, bij wie gezwollen spekarmen uit de korte mouwen van zijn overhemd steken. Ik lijk op mijn welgevulde tante, ik lijk nog meer op mijn vette neef Jan. Vanuit wiens keuken men gevoed wordt, diens postuur neemt men aan.

*

Zuurkool

Zuurkool heb ik altijd verafschuwd. Vroeger, toen ik nog student was en in de mensa at, liep ik er met een grote boog omheen als daar zuurkoolstamppot werd geserveerd. Zelfs van de geur ging ik over mijn nek. Maar mijn Italiaanse wondervriendinnetje Graziella heeft mij een even eenvoudig als fantastisch zuurkoolrecept aan de hand gedaan. Sindsdien heb ik vrede gesloten met zuurkool.

Voor het recept heb je wat uien of sjalotten plus een paar teentjes knoflook nodig. Voorts vier aardappels en per persoon zo'n anderhalf ons zuurkool. Daarnaast, en dat is geloof ik haast het belangrijkste onderdeel van dit recept, twee flinke goudreinetten. Ten slotte nog wat geraspte kaas.

Je fruit de fijngesneden uitjes of sjalotjes en knoflook in een koekenpan. Als ze glazig beginnen te worden, voeg je er de zuurkool aan toe, die je een beetje uit elkaar trekt en mee laat bakken. Van de aardappels maak je aardappelpuree. (Aardappelpuree is verboden in het dovemansorendieet, maar in dit recept kan ze niet gemist worden, maar maak vooral niet te veel.) En denk erom dat die puree flink dun moet zijn, bijna vloeibaar. Dus betrekkelijk weinig aardappels en vrij veel magere melk gebruiken. De goudreinetten moet je schillen en fijnraspen. Is dat allemaal gebeurd, dan neem je een ovenvaste schaal en daar werp je alles in. Stevig door elkaar mengen. Mijn Italiaanse vriendin doet er ook een plak ham doorheen die zij in blokjes heeft gesneden, maar ik weiger om varkensvlees te eten. De afschuwelijke wijze waarop die dieren hier in Nederland nog steeds gehouden en behandeld worden, blijft een van de grote smetten op ons land. Varkensvlees, voor zover dat niet afkomstig is van scharrelvarkens, blijft volstrekt taboe bij mij thuis.

Heb je gefruite uitjes, zuurkool, dunne puree en geschaafde goudreinetten goed door elkaar gemengd, dan strooi je er een laagje geraspte kaas overheen. Vervolgens zet je de schaal een half uurtje in de oven bij 200 graden Celsius.

Het is eigenaardig dat zuurkool aldus bereid verbazend lekker blijkt te zijn. Fris en luchtig. Of dat nu komt door die twee goudreinetten weet ik niet, maar voor het eerst in mijn leven heb ik dankzij dit recept met plezier zuurkool gegeten.

Overigens zie ik voedingsdeskundige Jaap Huibers bij dit recept al weer flink zijn wenkbrauwen fronsen. Zuurkool is stevig gefermenteerd, dus daar zitten tal van stoffen in die de histamine in ons lichaam bevrijden, waardoor onze zenuwen extra geprikkeld worden. En geraspte kaas heeft hetzelfde effect. Toch merk ik eerlijk gezegd weinig van belasting van mijn gevoelige zenuwen als ik op deze wijze zuurkool bereid. En uiteraard moet je geen oude kaas gebruiken, maar jonge, die nog niet gefermenteerd is. Aardappelpuree is een echte opblazer, maar als je dunne puree maakt heb je niet zoveel aardappels nodig, dus dan valt het mee met het dikmakend effect van puree. Bovendien zorgen de appels ervoor dat je hier flink van afgaat, dus wat laxerende werking betreft scoort dit recept goed.

*

Mijn hele leven lang heb ik steeds dezelfde observatie gedaan: gaan twee mensen met elkaar samenwonen, al dan niet in gehuwde staat, dan gaan ze in postuur en omvang op elkaar lijken. Ze eten dezelfde kost, en als gevolg daarvan bereiken ze ook dezelfde omvang. Mijn schrale neefje Onno ging samenwonen met een leuk, maar bol meisje, en binnen de kortste keren was hij, door haar gevoed, net zo vadsig als zij. Let maar op: hoogstzelden zie je een echtpaar waarvan de man mager is en de vrouw gezet of andersom. Is hij schraal, dan is zij schraal. Is zij vadsig, dan is hij het ook. Is zij corpulent, dan ziet hij er doorgaans ook uit alsof hij opgepompt is. Nooit heb ik twee volumineuzer goedzakken gezien dan mijn visboer en zijn vrouw. In alle opzichten elkaars evenbeeld, beiden naar schatting zo'n 125 kilo. Ik ben mager, weeg 76 kilo, Hanneke weegt zo weinig dat we het maar liever in ponden tellen, maar zelfs dan haalt ze de honderd niet. Toen mijn vader Hanneke voor het eerst zag, nam hij me even apart en zei mismoedig: 'Maar jongen, daar heb je toch helemaal geen houvast aan.' Omdat 't blijkbaar nog te weinig indruk maakte, voegde hij er verwijtend en dreigend aan toe: 'En ze draagt een bril.' Aangezien ook mijn moeder reeds vanaf haar bewaarschool een bril draagt, was dat een merkwaardige en wellicht veelzeggende opmerking.

In een abject boekje, getiteld *Engelen des doods*, beweert Paula Lampe dat Lucia de B., gezien haar tengere postuur, wel drugsverslaafd moet zijn geweest. Zo wordt een tenger iemand klakkeloos een drugsverleden aangewreven. Nu, als dat een valide manier van redeneren is, mag dan ook worden geconcludeerd dat Hanneke, tengerder nog dan Lucia de B. (ik heb Lucia in de gevangenis opgezocht, dus ik weet hoe zij eruitziet), drugs gebruikt heeft? En bijvoorbeeld ook de componist Edvard

Grieg, die nog minder woog dan Hanneke, namelijk 47 kilo? En mogen we dan ook concluderen dat Ronald Plasterk een drugsgebruiker is?

NRC *Handelsblad* verraste ons op 26 juli 2007 met het bericht dat uit onderzoek was gebleken dat 'een sociaal web vetzucht verspreidt'. Wie dikke vrienden heeft, loopt grotere kans op ongewenste gewichtstoename. 'Vrienden van mensen die veel te dik zijn, lopen meer risico dan gewoonlijk om zelf ook dik te worden. Ernstige vetzucht, ofwel obesitas, verspreidt zich via sociale groepen van vrienden en familie.' Dus niet alleen het huwelijk, maar zelfs het sociale netwerk zou obesitas kunnen bevorderen. Of het waar is, staat nog te bezien (ik heb vele tamelijk gezette vrienden en lijk vooralsnog niet besmet te zijn), maar het zou mij niet verbazen als je, wanneer je veel bij je volslanke vrienden over de vloer komt en dan vaak deel hebt aan hun eet- en vooral ook drinkgewoonten, na een copieuze maaltijd met veel drank weer enige ponden extra mee naar huis neemt. Plus natuurlijk dat zo'n joviale dikkerd in je kennissenkring jou het gevoel geeft dat het toch niet zo bezwaarlijk is om bol te zijn.

Het moge overigens waar zijn dat sommige mensen sneller aankomen en moeilijker overtollige kilo's kwijtraken dan andere mensen, maar door de bank genomen is vrijwel alle overgewicht simpelweg te wijten aan, vooral, te veel drinken en in iets mindere mate aan te veel eten. Of zoals de zeer vadsige baliemedewerker van de Universiteitsbibliotheek mij zei toen ik vuistdikke negentiende-eeuwse folianten over corpulentie kwam afhalen: 'Waarom zijn die boeken zo dik? In drie woorden kan samengevat worden wat eraan schort: "Je eet teveel." ' En somber trommelde hij op zijn bierbuik.

Dat teveel hoeft helemaal niet een groots teveel te zijn, dat teveel hoeft per dag maar een paar centiliter respectievelijk een paar gram te bedragen om zich per jaar te vertalen in een toename van gewicht van een paar kilo. Wie elke dag een euro opzijlegt, wordt rijk, wie elke dag een euro tekortkomt, maakt schulden.

Alom worden thans de zegeningen van veel bewegen geprezen, en het is zonder meer waar: niets pleit tegen veel bewegen, maar om een kilo overgewicht kwijt te raken moet je zo ongeveer van Maassluis naar Hoek van Holland roeien. Overigens kun je van roeien zelfs dikker worden. William Banting vertelt in zijn hartverscheurende *Letter on corpulence* uit 1863: 'Toen ik na mijn dertigste jaar een neiging tot dik worden bespeurde, vroeg ik raad aan een uitmuntende arts, die mij aanraadde voor het begin van mijn dagelijkse bezigheden wat meer beweging te nemen, en daartoe roeien voor zeer doelmatig hield. Daar ik een zware, goede boot tot mijn beschikking had en dicht bij het water woonde, deed ik dit dagelijks in de vroege morgen twee uur lang. Inderdaad werd ik daardoor sterker, maar ik kreeg tegelijk een fabelachtige eetlust, en daar ik daaraan voldeed, nam ik altijd meer in gewicht toe, tot mijn uitmuntende arts mij raadde deze soort beweging weer na te laten.'

Men pleit nu voor dertig minuten bewegen per dag. Dat is totaal belachelijk. Dat levert vrijwel niets op, op z'n hoogst de verbranding van een mariakaakje. Wil bewegen zich vertalen in gewichtsafname, dan moet je de hele dag door bewegen, en dat kan ook als je zo'n tuin hebt als ik: schoffelen, wieden, spitten, houthakken, zagen, blokken verslepen, snoeien, zaaien, maaien, timmeren, de bok verzetten, de kippen voeren, maar ja, de meeste mensen hebben niet zo'n tuin en zouden hem begrijpelijkerwijs ook niet willen hebben. Nee, de zegeningen van bewegen vind je op ander terrein, het is een weldaad voor je hart, het staalt je spieren, het zorgt voor steviger botten, het stelt alzheimer nog even uit, maar om er overgewicht mee te bestrijden moet je van 's morgens vroeg tot 's avonds laat draven, hollen, vliegen, rennen – en inderdaad, dan zul je zien dat er op den duur warempel enig effect merkbaar is. Maar wie veel beweegt, heeft ook meer trek, dus het is zeer de vraag of bewegen veel bijdraagt aan de bestrijding van overgewicht. Om één ons vet te verbranden moet je twee uur intensief tennissen.

Dat bewegen helaas weinig oplevert, kun je ook omgekeerd aannemelijk maken. Wie opeens, doordat hij zijn been breekt of in een rolstoel terechtkomt, ophoudt met bewegen, transformeert heus niet plotseling in zo'n vadsig praalgraf van patat en pasta. Toen ik in de zomer van 2004 mijn been brak dacht ik, alsmaar op bed liggend, vol vertwijfeling: nu beweeg ik niet meer, nu kom ik snel aan. Niets bleek minder waar, ik viel juist af doordat ik mijn spieren niet meer gebruikte. In rolstoelen zie je soms vadsige dikkerds, maar bij navraag blijkt altijd dat ze doorgaans al gezet waren voordat ze in die rolstoel terechtkwamen. In een rolstoel kom je niet opvallend snel aan, terwijl je toch akelig weinig beweegt.

Vlak bij mijn huis wordt helaas een kolossaal appartementencomplex neergezet. Op de steigers zie ik de hele dag door kerels sjouwen met reusachtige stapels stenen. Me dunkt, beweging waar je van af zou moeten vallen. Toch ogen al die kerels die daar met hun ontblote, zwaargetatoeëerde bovenlijven over die steigers stommelen stuk voor stuk als sumoworstelaars.

Waar we te weinig beweging dus kunnen uitschakelen als een belangrijke oorzaak van overgewicht, blijft er maar één factor over, één zaak waar we al onze aandacht op moeten richten om het overgewicht te bestrijden: de voedselopname. Of beter nog de voedsel- en vochtopname. Minstens zo belangrijk als de vraag hoe wij onze maaltijden zodanig moeten inrichten dat wij niet aankomen, is de vraag wat wij veilig kunnen drinken. In alle dieetboeken gaat het altijd over voedsel. Drank komt amper ter sprake, terwijl je van een glas bier meer aankomt dan van een bruine boterham. Alcohol is een van de grootste boosdoeners, zeker als je het in de vorm van het befaamde gerstenat tot je neemt. Toen ik nog bier dronk – gemiddeld twee pilsjes per dag – woog ik steevast 86 kilo. Mijn broer, een echte Brouwmeester-junk, heeft precies hetzelfde postuur als ik en is even groot en toch weegt hij bijna tien kilo meer dan ik. De oorzaak? Hoogstwaarschijnlijk het feit dat hij niet van de verbazend goedkope, maar o zo lekkere Brouwmeester-pilsjes van de Aldi kan afblijven.

Bij het inmiddels beruchte item overgewicht blijft één aspect steevast onbesproken. Men behandelt in extenso voedselopname. Vochtopname krijgt al veel minder aandacht, ofschoon ons lichaam voor 70 procent uit water bestaat. Maar over de stoelgang hoor je zelden een zinnig woord. Terwijl toch vaststaat dat wat naar binnen verdwijnt minder snel leidt tot corpulentie als je het ook weer kunt lozen. Wie ruimhartig watert en schijt, raakt overtollige kilo's kwijt. Mijn devies is: niet ontberen, maar laxeren. Mijn lijfspreuk: overal mag ik in bijten, mits ik daarvan flink ga schijten. Wie dat te plat vindt, kan er ook van maken: overal mag ik van snoepen, mits ik daarvan flink ga poepen.

Het is vermetel om te denken dat ik wellicht een bescheiden bijdrage kan leveren aan de bestrijding van het steeds groter wordende euvel van het overgewicht. Zeker, van huis uit ben ik bioloog, en in mijn studie heb ik van alles gehoord over de fijne kneepjes van de fysiologie van ons lichaam, ik heb het een en ander vernomen over voedingsleer, ik kan ook aardig meepraten over wat er door evolutiebiologen zoal over onze voeding in heden en vooral verleden naar voren is gebracht, maar een echte dieetdeskundige ben ik allerminst. Suikers, eiwitten, vetten, koolhydraten, je werd ermee doodgegooid tijdens je studie, dus onze stofwisseling heeft weinig geheimen voor me. Maar echt onderzoek op het gebied van (over)gewicht heb ik, behalve met mijn twee bokken, nooit uitgevoerd. Op grond van eigen ervaringen, en op grond van wat ik over deze materie gelezen heb, wil ik proberen een frisse, ongebruikelijke, dwarse, eigenzinnige kijk te geven op alles wat met eten en drinken en lozen en ontlasten te maken heeft, in de hoop dat de lezer die mager is en mager wil blijven daar zijn voordeel mee kan doen – desnoods door het totaal met mij oneens te zijn. Ook de lezer die zucht onder overgewicht wil ik graag een hart onder de riem steken, en misschien kan ik hem zelfs een enkele nuttige tip aan de hand doen om hier en daar een kilootje kwijt te raken. Laten wij dus om te beginnen de schraalhanskeuken van mijn moeder eens onder de loep nemen. Wij waren indertijd allemaal broodmager, mijn vader, mijn moeder, mijn broer, mijn zus en ik. Hoe valt dat te begrijpen?

Leert ons voor overdaad ons wachten

Mijn vader, grafmaker van beroep, werd slecht betaald. Schoon hield hij honderd gulden per week over. Hij droeg dat af aan mijn moeder. Zij gaf hem vervolgens weer enkele grijpstuivers voor tabak, en van de rest kleedde en voedde zij ons. Waar zo weinig fondsen beschikbaar waren, hoeft het niet te verbazen dat er bij ons thuis van overvloed geen sprake kon zijn. Toch denk ik dat wij beter hadden gegeten als mijn moeder plezier had gehad in koken. Maar dat had zij niet.

Op de eerste werkdag van de week diende de grote was te worden gedaan. Dat was een bikkelhard uitgangspunt, waaraan niet getornd kon worden, maar waarbij moeder in de loop van de dag, terwijl er vaak grote tranen over haar wangen biggelden, gaandeweg doodongelukkig werd. Meestal zat het namelijk tegen. Omdat het regende kon de was niet buiten op het plaatsje te drogen gehangen worden. Of het vroor, en dan kon het ook niet. Of het was droog en zonnig, maar op de schutting toefden kauwtjes die er steevast opuit bleken de schone was 'onder te dedderen'. Onder die benarde omstandigheden was er uiteraard geen tijd over voor de bereiding van het 'warme eten', en dat 'warme eten' – ook daaraan kon niet getornd worden – diende stipt om half een te worden opgediend. Op maandag aten wij daarom doorgaans broodpap. Het was een gerecht waarbij stokoud regeringsbrood in dobbelstenen gesneden werd (een taak die mij toeviel). Deze dobbelstenen werden eenvoudig in een pan met melk geworpen. Vervolgens werd deze pan op een petroleumstelletje langzaam verhit.

Wat je dan kreeg, tart elke beschrijving. Het menigmaal reeds enigszins beschimmelde brood transformeerde zich tot een klonterige, vormloze, kwalachtige, blubberige substantie. De grens tussen melk en brood viel langzaam weg. Op de melk verscheen, verrijkt met klodderige broodkruimels, het door ons kinderen zo innig gevreesde vel. Reeds als de pap op onze borden geschept werd, begonnen mijn zus, mijn broer en ik te kokhalzen. Wij konden het nauwelijks door onze kelen krijgen. Nam je een hap, dan leek het ook altijd alsof je de gore geur van petroleum erbij kreeg. Iedere week opnieuw werden wij voor ondankbare kinderen uitgemaakt, die de Hongerwinter niet bewust hadden meegemaakt en dus niet wisten wat honger was, anders zouden wij wel op die verrukkelijke broodpap aanvallen. Broodpap, kortom, is een gerecht dat ik iedereen die wil afvallen van harte aanbeveel. Hoe ouder het brood, hoe beter. Laat het van tevoren flink lang in water weken, dan bereikt het de vereiste graad van smeuïgheid om, gekookt in taptemelk, tot grote culinaire hoogte te reiken.

Op dinsdag diende de hele was gestreken te worden. Ook dan ontbeerde mijn moeder voldoende tijd om een volwaardige maaltijd te bereiden, dus dan werden wij onthaald op gruttenbrij. Het is een eenvoudig gerecht waarbij boekweitgrutten in reeds aan de kook gebrachte karnemelk worden gesmeten. Na luttele minuten verhitting transformeren de grutjes zich in een dikke, lichtgrijze substantie die onmiskenbaar aangenaam smaakt, mits er een weinig gesmolten boter (bij ons thuis uiteraard geen boter, maar margarine) en een paar eetlepels stroop aan toegevoegd worden. Mijn broer en zus waren niet dol op gruttenbrij, maar ik smulde ervan, en als ervan overbleef omdat mijn broer en zus hun porties meesmuilend lieten staan, kon je de brokken, koud geworden, weer wat opbakken, en dan vond ik het nog lekkerder.

Vandaag de dag zijn er maar weinig kruideniers die nog boekweitgrutten in hun schappen hebben staan. Toen ik er in het dorp bij onze laatste kruidenier naar vroeg, zei hij: 'Boekweitgrutten, nee meneer, die zijn uit de tijd, die worden niet meer gemaakt.' Bij sommige reformwinkels staan ze gelukkig nog op de schappen. Iedereen kan ik aanraden om eens het gerecht te proberen waarvan het recept in oud-Hollandse kookboeken staat: stip in het kuiltje. Het is in een mum van tijd klaar, en het staat in de maag. Ben je gezegend met zo'n onverwoestbare trek als ik, dan is gruttenbrij een uitkomst. Het is een van de beste gerechten om de trek eronder te krijgen. En daarbij spotgoedkoop. Zwaar zul je er niet van worden, want het bevat weinig koolhydraten, terwijl de karnemelk waarin het gekookt wordt uiteraard reeds geheel ontdaan is van dikmakend melkvet. Boekweit bevat veel lysine, een van de essentiële aminozuren, en het gerucht gaat dat de rutine uit boekweit bloeddrukverlagend werkt, dus stip in het kuiltje kan van harte worden aanbevolen.

Woensdag mocht dan in mijn jeugd 'gehaktdag' zijn, maar gehakt kwam er bij ons op die dag niet op tafel, want een kilo gehakt kostte toentertijd reeds twee gulden, en dat vond mijn moeder veel te duur. Op woensdag aten we vrijwel altijd andijvie, en die andijvie liet mijn moeder zo lang op het petroleumbrandertje sudderen tot het getransformeerd was tot bleekgroen snot. Om het dan weer wat op te vijzelen raspte mijn moeder er een beschuitje doorheen. Aldus kreeg je het op je bord gekwakt, samen met kruimige aardappels. Een flinke scheut oeroude van zondag overgebleven jus eroverheen, en het gerecht was voltooid.

Op donderdag, 'die schoonste dag der dagen, 's morgens nog een halve week en 's avonds nog twee dagen' zoals mijn vader altijd zong, werden wij meestal verblijd met bruine bonen. Het zegt iets over de culinaire geneugten van mijn jeugd dat bruine bonen mijn lievelingsgerecht vormden. Een beetje stroop erover, en ik smulde. Let op: wat we kregen waren simpelweg bruine bonen die urenlang op het petroleumstel gesudderd hadden, met niets anders eroverheen dan een enkele eetlepel stroop. Door de bonen was verder ook niets heen gegaan, geen uitje, geen teentje knoflook, geen bieslook, geen peterselie, niets. Uien heb ik mijn hele jeugd door vrijwel nooit te zien gekregen ('Wie uien eet,' aldus mijn vader, 'boert door z'n reet'), en een teentje knoflook, daar was al helemaal geen sprake van. Ook keukenkruiden erdoor waren volstrekt taboe. Toch beminde ik bruine bonen. Bartje weigerde voor bruine bonen te bidden, maar ik zonk ervoor op mijn knieën.

Op vrijdag deed zich een enkele keer een groot wonder voor. Dan kregen we – maar dat geschiedde misschien vier à vijf keer per jaar – kabeljauw. De moten waren gesmoord in margarine, we kregen er kruimige aardappels en witlof bij. Die witlof was weer zo uitzonderlijk lang gekookt dat het op gekookte andijvie was gaan lijken en ook als andijvie smaakte, hoewel nog iets bitterder. Daarover klaagde ik ook altijd. 'Het is zo bitter,' zei ik, en dan zei mijn vader: 'Bitter voor de mond maakt 't hart gezond.'

Op zaterdag moest de warme maaltijd van de zondag al voorbereid worden. Daaraan werd meer zorg besteed dan aan enige maaltijd door de week, mede omdat mijn grootvader vaak kwam eten, maar die zorg moest zijn beslag al krijgen op zaterdag omdat de zondag nu eenmaal rustdag was, en op die dag mochten uiteraard geen werkzaamheden verricht worden. Op een petroleumpit 'trok' mijn moeder derhalve de vermicellisoep op zaterdagmiddag, werden de sperzieboontjes of snijboontjes al afgehaald, en werden die snijboontjes reeds gemalen met zo'n snijbonenmolentje (een taak die ons kinderen steevast toe viel, want 'een kind moet het juk dragen in zijn jeugd' , zoals mijn moeder altijd grimmig verkondigde). Ook de aardappels werden alvast geschild en in water gezet. Schil je aardappels die je op zondag nuttigt alvast op zaterdag en laat je die aardappels een nacht in het water staan, dan blijken die knollen op zondag echt verbluffend vies te smaken. Het is net of er dan een gore lijklucht overheen heeft gestreken. Ook snijboontjes die op zaterdag al gemalen zijn, gaan er vervolgens, een nacht lang in water geweekt, niet op vooruit, zij het dat het smaakverlies minder ernstig is dan in het geval van aardappelen.

Mijn broer, mijn zus en ik spraken altijd vol afgrijzen over 'zondagse aardappelen' en 'zondagse snijboontjes'. Daarvoor werden wij vermaand. Dat mochten wij niet zeggen. In het Woord stond nu eenmaal dat je op zondag geen aardappelen mocht schillen en snijbonen mocht malen, dat had de Heere zelf verordineerd, en dus diende je zonder weeklacht die reeds op zaterdag geschilde aardappels en gemalen snijboontjes te nuttigen. Wilde je je hartje rein houden voor de Heere Jezus, dan klaagde je niet over de smaak van de aardappels en snijbonen op zondag. Desondanks heb ik, rein van hart of niet, nog steeds de schurft in als ik met name aan de smaak van die zondagse aardappels denk. Dat godsdienst, toch al de wortel van alle kwaad (of zoals de titel van een prachtboek van Christopher Hitchens luidt, *God is niet groot*) en tezamen met ziekte en oorlog de grootste gesel der mensheid, bovendien met zich meebrengt dat je op zondag aardappels eet die op zaterdag geschild zijn, is wat mij betreft al voldoende reden om alles wat religie is tot op het bot te haten en te verafschuwen.

Op zondag kregen we, behalve een voorgerecht, zowaar ook een toetje: pudding met bessensap. In juni kocht mijn vader altijd enige kisten vol aalbessen. Die bessen perste hij uit in een kaasdoek. Het sap ving hij op in een Keulse pot. Vervolgens werden flesjes met dat sap gevuld en die flesjes werden in de kelderkast gezet. Het hele jaar door kregen wij enige druppels sap over ons zondagse puddinkje gesprenkeld uit het volgende flesje der voorraad. Aan het sap was een schimmelwerend middel toegevoegd. Je proefde dat helaas maar al te goed.

Door de week was er nooit een nagerecht. Als je niet genoeg gegeten had, dan mocht je een beetje yoghurt nemen, maar dat kon pas als mijn vader zijn middagdutje deed, want mijn vader haatte yoghurt. 'Da's bedorven melk,' zei hij en die bedorven melk mocht onder zijn ogen niet op tafel verschijnen. Voor yoghurt had ik echter een groot zwak omdat ik in de krant had gelezen dat yoghurt beschermde tegen radioactieve straling, en zulke straling kon ieder moment over ons uitgegoten worden, want het was in de jaren vijftig maar al te duidelijk dat er een kernoorlog voor de deur stond. In Korea waren ze alvast met de voorbereidingen daarop van start gegaan.

Aangezien de bereiding van de maaltijd voor de rustdag reeds op zaterdag haar beslag diende te krijgen, was er voor de bereiding van de zaterdagse maaltijd uiteraard geen tijd meer over. Dus aten we op zaterdag gewoonlijk rijstebrij. Witte rijst gekookt in melk. Gesmolten margarine en suiker eroverheen. Dat was alles. In latere jaren verving mijn moeder de rijstebrij door tomatensoep uit een pakje. Zowaar bij wijze van voorgerecht, want daarna volgde dan het hoofdgerecht: erwtensoep. Toen Hanneke voor het eerst bij ons thuis kwam, kreeg ze op zaterdag eerst tomatensoep voorgezet, en daarna erwtensoep. Tot op de dag van vandaag vervult haar dat met de grootst mogelijke verbazing. Maar ach, waarom niet? Zelfs deze curieuze combinatie van voor- en hoofdgerecht was beter te harden dan petroleumbroodpap.

Anders dan in Zweden, waar men tweemaal per dag warm eet (mijn Zweedse vertaler vertrouwde mij een keer toe: wat zijn die Hollandse huisvrouwen toch ongelofelijk lui, die kwakken twee keer per dag een broodmaaltijd op tafel, die bereiden maar één keer per dag een warme maaltijd), kregen wij 's morgens en 's avonds een broodmaaltijd voorgezet. Mijn moeder, toch niet zo lui, smeerde alle boterhammen. Wij aten bruinbrood, niet omdat dat gezonder was dan witbrood (de notie 'gezond' speelde geen enkele rol bij ons thuis), maar omdat bruinbrood goedkoper was dan witbrood. Een heel bruin kostte 38 cent, een heel wit 42 cent. Helaas ontwikkelde mijn zus een enorme aversie tegen bruinbrood. Die moest en zou witbrood hebben. Kreeg ze het niet, dan onttrok ze een stukje antraciet aan de kolenkit en begon daarop te knagen. In een mum van tijd zag ze eruit als Zwarte Piet, de antraciet werd haar ontwrongen, maar dan ging ze in hongerstaking. Vrij snel zijn mijn ouders overstag gegaan. Ze kreeg witbrood. Zelfs de korsten werden eraf gesneden. Die kreeg ik. Zoals ik altijd alles kreeg wat overbleef. Ik werd dan ook liefkozend door mijn moeder 'de vuilnisbak' genoemd.

Het broodbeleg bestond uit hagelslag, goedkope 'sjem' en een enkel plakje kaas. Maar met kaas op je brood moest je uiterst voorzichtig manipuleren. Mijn vader had als kind wekelijks kazen moeten keren in het kaaspakhuis van mijn grootvader en had toen een ongeneeslijke afkeer van kaas gekregen. Zelfs bij de aanblik ervan op andermans boterham begonnen zijn ogen te flikkeren. Vleeswaren kwamen niet op tafel. Te duur. Behalve in de vette jaren toen ik 's morgens van zeven tot negen bestellingen rondbracht voor de slager bij ons uit de straat. Bezoldiging: twee gulden plus restjes pekelvlees, kontjes ham en reeds ietwat groen uitgeslagen gekookte runderlever.

Noch bij de warme, noch bij de broodmaaltijden werd ooit iets gedronken. Überhaupt werd er bij ons thuis verbazend weinig gedronken. Mijn vader stond erop dat je als je 's morgens aan het ontbijt verscheen eerst een kopje thee nam, maar ik wilde altijd eerst een boterham en daarna pas een kopje thee, dus dat zorgde elke dag weer voor twist en tweedracht, maar bij dat ene kopje thee, al dan niet voor die eerste boterham genuttigd, bleef het. De rest van de dag dronk je niets meer. Soms kreeg ik als ik om vier uur uit school kwam een kopje thee, en mijn vader kreeg als hij om half zes van zijn werk kwam een kopje koffie, maar wij kregen dan niets en ik zou die koffie ook nooit gewild hebben. Ik vond zo'n kopje koffie met gekookte melk erin waarop het beruchte vel ronddobberde buitengewoon smerig. Van koffie heb ik mijn hele leven lang gegruwd. Alleen het woord al, 'koffie', daaraan hoor je dat het nergens goed voor is.

Je hoort vandaag de dag voedingsdeskundigen om strijd beweren dat je veel moet drinken. Brenda Scholten zegt in haar boekje *Maak van jezelf geen olifant*: 'Het is belangrijk om genoeg te drinken. Water. Massa's hebben we er van nodig. Zes à acht glazen per dag.' Ook Sonja Bakker bepleit inname van acht glazen. En de dames Knight en Thomas, die we verderop nog zullen tegenkomen. En Mireille Guiliano. En Jan Gus Waasdorp. Ze denken allemaal dat water zelf niks weegt en dat je met die acht glazen alle dikmakers zomaar uit je lichaam wegspoelt. Minstens acht glazen per dag? Ik heb in mijn hele leven nog nooit ook maar één glas water gedronken. Als ik wat wil drinken neem ik een kopje thee; in totaal drink ik drie flinke koppen per dag, 's morgens een kop bij het ontbijt, halverwege de morgen nog een kopje, en 's middags een kopje.

In zijn verrukkelijke vogelgids vertelt Hans Dorrestijn dat hij door zijn stiefvader op een afgelegen eilandje werd afgezet om te vissen. 'Als jongetje zat ik daar dus de hele dag zonder dat ik iets te eten had, maar nog bijzonderder: ik kreeg ook niets te drinken mee. Van zes uur 's morgens tot half tien 's avonds geen slok. Toch was ik zo gezond als een vis en ik stierf niet van de dorst. Tegenwoordig beweren diëtisten en allerlei andere onduidelijke deskundigen dat een mens ontzettend veel moet drinken. Laatst hoorde ik zo'n domme diëtist zelfs beweren: "Als je dorst krijgt, ben je eigenlijk al te laat." Uit eigen waarneming weet ik dat de mensen veel meer drinken dan vroeger. In de trein zetten de passagiers om de haverklap hun fles Spa aan de lippen.' Vooral Dorrestijns quote 'Als je dorst krijgt, ben je eigenlijk al te laat' lijkt mij bizarre nonsens. Maar inderdaad: India Knight en Neris Thomas zeggen in hun boek over het *idiot-proof*-dieet: 'Tegen de tijd dat je dorst krijgt, ben je al uitgedroogd.' Acht glazen water per dag vinden beide dames een minimum. Liever meer. Alsof je van al dat in je lichaam rondklotsende water niet aankomt! Water en vet zijn bovendien elkaars natuurlijke vijanden. Vet lost niet op in water, dus je hoeft niet te denken dat je, al wordt dat her en der in vermageringsboeken gesuggereerd, met water vet uit je lichaam kunt wegspoelen.

Toen ik jong was, dronk ik op een enkel kopje thee na de hele dag door vrijwel niets. Zelfs geen water uit de kraan, en al helemaal geen frisdrank. Waarschijnlijk wordt al dat hedendaagse overgewicht grotendeels veroorzaakt door die absurde drankzucht. Zes à acht glazen water per dag! Geen wonder dat je dan uitzet, vooral als je tussendoor, omdat water nu eenmaal niet zo lekker is en niet prettig wegdrinkt, in plaats daarvan overschakelt op die verfoeilijke frisdranken. Voor zover frisdranken vroeger al bestonden, waren die indertijd goddank veel te duur. Als kind heb ik nooit een druppel frisdrank gedronken, laat staan Coca-Cola. Sonja Bakker beveelt cola light aan. Sonja toch! Coca-Cola heb ik sowieso in mijn hele leven nog nooit gedronken. Ook alcohol werd bij ons thuis, behalve op verjaardagen, nimmer in enigerlei vorm gedronken. Bier was volstrekt taboe, dat haatte mijn vader al net zo hevig als yoghurt en kaas (en komkommer, 'da's enkel water' zoals hij altijd zei), en wijn was veel te duur. Op verjaardagen werden glaasjes advocaat, glaasjes boerenjongens op sap en glaasjes keizerbitter genuttigd, maar mijn broer en zus en ik kregen daar niets van, want het heette – uiteraard volkomen terecht – dat zulks niet goed was voor kinderen.

Een enkele keer veroorloofde mijn vader zich echter een uitspatting. Dan kocht hij een ons biefstuk, en die biefstuk werd in zeer kleine stukjes gesneden, vervolgens in vrij veel margarine gebakken en dan mochten wij ons brood (want zo'n biefstuk werd altijd bij de broodmaaltijd geserveerd) 'indopen'. Dat vonden wij verrukkelijk, een stukje brood gedoopt in de sappen die uit de biefstuk gevloden waren en zich vermengd hadden met de bruisende margarine. De kleine stukjes biefstuk werden zorgvuldig nageteld en eerlijk onder ons vijven verdeeld. Mijn vader vertelde er altijd bij dat zijn vader zich steevast te goed deed aan rollade, 'en wij kregen dan de touwtjes'. Aldus kwam nog beter over het voetlicht hoe gul hij was, want hij peuzelde niet meer stukjes biefstuk op dan hem toekwam.

Nog extravaganter was een andere uitspatting. Dan kocht mijn vader opeens levende paling. Hij stroopte de paling zelf. Hij bereidde de paling. Deze werd simpelweg in veel margarine gaar gesudderd, en dan kregen wij stukjes paling op het brood.

Ondanks die uitspattingen kun je, denk ik, rustig stellen dat er bij ons thuis sprake was van opmerkelijk schrale voeding. Zo'n keuken blijkt goud waard voor wie mager wil blijven, maar is zo'n keuken ook gezond? Je zou denken van niet, maar mijn moeder is inmiddels 87 jaar en kookt nog altijd haar andijvie tot snot. Ze is nooit ziek geweest, ze is nog helder van geest, ze kan nog alle psalmen in de oude berijming uit haar hoofd zingen, ze weet nog dat de Heilige Drie-eenheid bestaat uit Vader, Zoon en Heilige Geest, terwijl bij mijn stiefvader alzheimer intrad toen hij begon te beweren dat Vader, Zoon en Satan de Heilige Drie-eenheid vormen (of moeten we dat juist zien als een flits van inzicht op de valreep?). Akkoord, mijn vader is op dit dieet slechts 57 jaar oud geworden, maar ik wijt zijn vroege verscheiden vooral aan het feit dat hij elke dag een pakje zware Van Nelle oprookte, en tussendoor meestal ook nog een pakje echte sigaretten van zijn favoriete merk Players Navy Cut. Zo'n pakje werd hem vrijwel elke dag bij wijze van fooi voor het schoonmaken van grafstenen toegestopt.

Bij mijn broer, mijn zus en mij is sprake van veel te hoge bloeddruk. Wellicht moet dit (mede) aan deze schraalhanskeuken geweten worden. Vooral die miserabele, goedkope margarine zal hier wel debet aan zijn. Maar verder lijkt deze schraalhanskeuken toch nauwelijks aantoonbare schade veroorzaakt te hebben.

Het lijkt mij evenwel denkbaar dat al die bar slechte gebitten uit mijn jeugd het logische gevolg zijn van deze ook elders bij onze overweldigend grote familie in zwang zijnde eetgewoontes. Of zou het feit dat tandenpoetsen taboe was, daar de schuld van zijn? Mijn vader raakte buiten zinnen van woede als je je tanden poetste. Je moest ernaar streven zo snel mogelijk voorzien te zijn van een kunstgebit, liefst nog voor je trouwde. Dan was je van de zorg voor een gebit af. 'Nooit meer kiespijn.' Dus je diende al je tanden en kiezen zo vlug mogelijk te laten wegrotten. Het is dan ook een regelrecht wonder dat ik een uitstekend gebit heb (vier vullingen, meer niet), maar mijn zus heeft met haar witbrood- en antracietdieet het noodlot over zich afgeroepen. Ook mijn vader had zowel onder als boven een kunstgebit. Wilde hij iemand intimideren, dan liet hij beide gebitten opeens half naar buiten komen en siste tussen de klepperende tanden door allerlei scheldwoorden. Mijn moeder ontbeert eveneens al haar eigen tanden.

Wat ik er overigens voor heb moeten doen om, dwars tegen de verbijsterende trend in om reeds voor je huwelijk toe te zijn aan een kunstgebit, al mijn tanden en kiezen te behouden is een verhaal apart. 'Zonder strijd geen tanden kwijt,' zei mijn vader altijd, en hij wilde ze desnoods wel uit je mond slaan. Hij kende een tandarts, Dulker, die bereid was zelfs gave tanden en kiezen te trekken. Enfin, dit nachtmerrieverhaal zal ik elders vertellen, dit moet een vrolijk boek worden.

Al die verbijsterend slechte gebitten, en dat terwijl wij toch nimmer iets als koekjes of snoepgoed toegestopt kregen! Mijn hele jeugd door heb ik het hongerdieet waarop ik thuis vergast werd, aangevuld met winterwortels. Daar kon je op allerlei manieren makkelijk aankomen.

In de haven van Maassluis vielen ze vaak uit de groentekistjes die vanuit goederenwagons via een rolband in de coasters werden geladen die op Engeland voeren. Vaak ook ontschoten nog tamelijk onrijpe tomaten aan die kistjes. Niettemin waren het evenzovele lekkernijen. Was het op vrijdag markt geweest, dan kon je 's avonds niet zelden half verrotte sinaasappels op het lege marktplein vinden, en van die sinaasappels bleken altijd nog wel enkele partjes eetbaar te zijn. Op datzelfde marktplein vond je in de vrijdagse avondschemer veelal wortels, en soms zelfs peren of appels met een plekje eraan.

Toen al heb ik ontdekt dat juist appels met een plekje eraan het lekkerst smaken, en die plekjes at ik onbekommerd ook op. Rot fruit kan heel lekker zijn, rotte druiven met een vleugje schimmel erover zijn vaak verrukkelijk.

Als ik op m'n vrije woensdagmiddag via Maasland, waar ik acht pakjes margarine moest kopen, naar Poortershaven fietste, kon je daar altijd de verrukkelijkste winterwortels vinden, soms wel vijf of zes stuks. Tussen de dozen vol zeep die mijn moeder had gehamsterd met het oog op de naderende derde wereldoorlog en die onder mijn bed lagen opgeslagen, verstopte ik mijn winterwortelbuit. Met een winterwortel kon je dan elke dag de ergste trek stillen. Zou ik mijn goede gebit wellicht danken aan al die winterwortels die ik mijn hele jeugd door rauw verorberd heb om dat knagende hongergevoel te bestrijden dat elke dag opnieuw de kop opstak?

Bij mijn vader op de begraafplaats groeiden voorts tussen de grafstenen overal kruisbessen. Met vooruitziende blik waren die struiken geplant door een voorganger van mijn vader en dankzij die voorganger kon ik mij in juni laven aan 'die akelig zure bessen', zoals mijn vader ze misprijzend betitelde. Ook groeide er een morellenboom, en van die morellen trok je mond scheef, zo zuur waren ze, volgens mijn vader, dus ook daar viel ik op aan, want hoe zuurder, hoe liever het mij is. De mineola is een van mijn favoriete vruchten.

Aan het begin van elke maaltijd sprak mijn vader het volgende gebed uit. Ik geef het weer zoals hij het uitsprak, inclusief wellicht de afwijkingen van de oorspronkelijke tekst:

O, Vader die al 't leven voedt,
kroont onzen tafel met Uwen zegen,
spijst en drenkt ons met het goed,
van Uwen milden hand verkregen,
leert ons voor overdaad ons wachten,
dat we ons gedragen zoals 't behoort,

doe ons het Hemelse betrachten,
sterkt onze zielen door Uw woord,
Amen.

Als je erop terugkijkt, denk je: regel vijf had hij gerust weg kunnen laten, van overdaad was immers totaal geen sprake. Ook de regel over 'het goed, van Uwen milden hand verkregen' lijkt bepaald weinig toepasselijk in geval van onze petroleumbroodpap en onze andijviesnot. Meer op zijn plaats was het dankgebed na de maaltijd, waarin vooral het eigenaardige woord 'nooddruft' opviel:

Wij danken U van harte
voor nooddruft en voor overvloed,
daar menig mens eet brood der smarte,
hebt Gij ons mild en wel gevoed,
doch geef toch dat wij niet,
aan dit verganklijk leven kleven,
maar alles doen wat Gij gebiedt,
om eindelijk eeuwig met U te leven.
Amen.

Ook hier houd ik het voor mogelijk dat mijn vader onbedoeld afweek van de oorspronkelijke tekst. Vreemd lijkt immers dat hij dankte 'voor nooddruft en voor overvloed'. Hoe het ook zij, als gevolg van die nooddruft was bij ons destijds van overgewicht geen sprake. Niettemin zou ik, al blijft gruttenbrij een aanrader, terugkeer tot deze eetcultuur niet willen aanbevelen. Toch valt een en ander erin te waarderen. Alles wat evident slecht is ontbrak: geen chips, cornflakes, crackers of candybars, geen patat, pasta, popcorn, poffertjes, puntjes of pannenkoeken, geen snoepgoed, soesjes, spaghetti, spritsen, speculaasjes, suikerspinnen, saucijzenbroodjes of stroopwafels. Zelfs chocolade kwam nooit in huis, al hoor je de laatste tijd veel goeds over zijn pure vorm. Niettemin blijft mijn devies 'Liever quinoa dan chocola' . En vlees was eenvoudig te duur, dus dat kregen we hoogstzelden. Wat voortreffelijk is ontbrak vrijwel volledig, maar wat gemeden moet worden eveneens en misschien dat het daarom door de bank genomen niet eens zo'n slechte keuken was. Op bruine bonen en boekweitgrutten na was het ook allemaal vrij onsmakelijk, en als het onsmakelijk is, tast je minder vaak toe dan als het lekker is, en dat voorkomt overgewicht.

Bloedworst

Heb je dan nooit, zal een enkele lezer zich afvragen, een glimp opgevangen van andere kookgewoontes als je bij vriendjes thuis at? En heb je in je jeugd dan nooit in een restaurant gegeten of bij een chinees?

Nooit heb ik in al die jaren van mijn jeugd bij enig schoolvriendje thuis een maaltijd genuttigd. Je kwam wel over de vloer bij diverse vriendjes, maar daar mee-eten dat geschiedde nimmer, zoals er ook nimmer enig schoolvriendje bij mij thuis heeft meegegeten. En volstrekt ondenkbaar was dat wij op enig moment waar of wanneer dan ook in een restaurant een maaltijd zouden kunnen hebben nuttigen. Wij gingen nooit op vakantie. Had mijn vader vrij, dan fietsten wij naar Hoek van Holland, vlijden ons daar neer in het zand en verslonden daar het brood dat wij hadden meegevoerd. Of wij fietsten naar de uitspanning Plaswijck in Rotterdam, waar wij op een bankje ons meegebrachte brood nuttigden. Zelfs aanschuiven bij een chinees was totaal ondenkbaar, temeer daar pas lang nadat ik daar ben weggegaan het eerste Chinese restaurant op het Maassluise marktplein zijn poorten opende. Eerst in mijn tweede studiejaar in Leiden heb ik bij een chinees gegeten, bij Woo Ping om precies te zijn, in de Diefsteeg. Van die eerste maaltijd in een heus Chinees restaurant herinner ik mij nog akelig precies wat ik er bestelde: nasi goreng, omdat dat het goedkoopste gerecht was op de kaart, 2 gulden 25, toch altijd nog 75 cent meer dan een maaltijd in de mensa, iets wat ik Ton Polderman, die mij naar Woo Ping had gelokt, haast persoonlijk kwalijk nam. Bij mij thuis viel toen ik in het weekend daarop schuchter vertelde dat ik bij een chinees had gegeten, een diepe stilte. Zo'n uitspatting, zo'n extravagantie, daar waren eenvoudig geen woorden voor beschikbaar, daarbij paste nog slechts een oorverdovend zwijgen. Zelfs een vraag die ik verwacht had, 'Heb je daar in dat restaurant wel voor je eten gebeden?', bleef achterwege.

Mocht je, zo had ik mij op de fiets naar huis reeds afgevraagd, wel bij een chinees eten? Wat zei de Bijbel daarover? Naar het leek zweeg het Woord, dat toch het hele leven bestreek, daarover in alle talen. Niettemin – en dat was ook weer hoogst eigenaardig – bevatte de Bijbel buitengewoon expliciete voedingsvoorschriften, en toch werd juist daarover nooit gepreekt. Op de kansel geen woord over andijvie, kalfsvlees of de giftige kolokwinten uit 2 Koningen 4 of het verbod op het nuttigen van bloed in Genesis 9. De moeder van Bote Prins, een Fries schoolvriendje, had mij daar al vroeg op attent gemaakt. Vol misprijzen zei ze een keer tegen mij: 'Jullie eten thuis vast en zeker bloedworst, want de slagers hier verkopen dat allemaal, en dat terwijl in de Bijbel zo duidelijk staat dat je geen bloedworst mag eten. Het staat nog voor het eerste gebod, het is het nulde gebod zogezegd, bloed mag je niet eten, dat staat al in Genesis 9 vers 4. Maar daar preken de dominees nooit over, o,wat erg toch, al die christenen die op bloedworst aanvallen. Dat zijn geen echte christenen, dat zijn pure heidenen, met een ingebeelde hemel zullen ze ter helle varen.'

Hoewel wij nooit bloedworst aten vanwege het feit dat er nu eenmaal geen vleeswaren op tafel kwamen, sloeg de schrik mij om het hart. Je kon zomaar, nietsvermoedend, een bijbels voorschrift overtreden, want een plakje bloedworst zou ik, had de moeder van Bote Prins er mij niet tijdig op attent gemaakt dat zulks reeds in Genesis verboden werd, gretig verorberd hebben als mij dat waar dan ook was aangeboden. Scherp luisterde ik derhalve naar al die ingewikkelde bijbelse voedingsvoorschriften die langskwamen als mijn vader aan tafel uit de bijbelboeken Leviticus en Deuteronomium las.

In die twee bijbelboeken tref je opsommingen aan van dieren die de gelovigen niet mogen eten. Bij de meeste dieren was mij, als mijn vader die lijsten na de maaltijd uit de Statenvertaling oplas, terstond duidelijk welk beest bedoeld werd, maar één organisme zorgde voor hoofdbrekens: de schuifuit. Zowel in Leviticus 11 vers 17 als in Deuteronomium 14 vers 16 werd hij genoemd. Je mocht de schuifuit niet nuttigen, akkoord, maar als je niet wist welk dier er met de schuifuit bedoeld werd, kon je onverhoeds op zondag zijn draadjesvlees op je bordje krijgen en je dus een oordeel eten. Overal deed ik navraag. Spoedig bleek dat zelfs dominees geen flauw idee hadden. Eén ouderling wist mij te melden dat de schuifuit ook in Jesaja 34 vers 11 werd genoemd, maar sloeg je die bijbelplaats op, dan verschafte die vermelding verder geen uitsluitsel over de vraag wat de schuifuit was. Mij leek, gelet op de context waarin de schuifuit vermeld werd, dat we hier met een vogel te maken moesten hebben, hoewel het onfeilbare woord van God gek genoeg de vleermuis in Leviticus en Deuteronomium ook onder de vogels rangschikte, dus voorzichtigheid bleef geboden. Ik raadpleegde desondanks vogelkijkers. Een kraaienspotter wist mij te melden dat 'schuifuit' een Oudhollands woord voor 'roerdomp' was. Vroeger, zei hij, werd hij zo genoemd omdat hij als hij zich tussen het gele riet verschuilt, zijn gele hals heel ver uitschuift zodat hij zelf een rietstengel lijkt. Dat klonk verbazend plausibel, en wat zoekwerk in oude boekjes leverde inderdaad het gewenste uitsluitsel: 'schuifuit' was een even prachtige als oude Hollandse naam voor 'roerdomp'. Helaas, mijn probleem bleek daarmee niet opgelost, omdat in de Statenvertaling de roerdomp ook driemaal voorkomt, en je kon je toch niet voorstellen dat die Twaalfjarigbestand-vertalers hetzelfde Hebreeuwse woord de ene keer met 'roerdomp' en de andere keer met 'schuifuit' hadden vertaald.

Toen kwam, halverwege de jaren vijftig, de 'Nieuwe Vertaling'. Gelovigen gingen, zoals dat nu eenmaal onder deze mensensoort gebruikelijk is, met elkaar daarover op de vuist, maar ik zocht ondertussen op wat er van de schuifuit was geworden. Hij bleek getransformeerd tot de oehoe. Althans in Leviticus en Deuteronomium. In Jesaja hadden de vertalers simpelweg het woord 'uil' gebruikt, alsof ze zich in dit gruwelijke jihadhoofdstuk op de vlakte wilden houden. Oehoe? Het kon natuurlijk waar zijn, ik kende geen Hebreeuws, en die nieuwe vertalers zouden wel heel kundige mannen zijn die goed Hebreeuws kenden. Of hadden ze gewoon Luther overgeschreven, die op de Wartburg ook al met de oehoe op de proppen was gekomen? Maar ja, hoe dan te verklaren dat in een nieuwe Duitse vertaling de schuifuit opeens was getransformeerd tot een bijenvreter? De oehoe was na wijs beraad afgedankt in Duitsland, maar desondanks weder opgestaan in Nederland?

In 1975 bereidde de Willibrordvertaling mij een grote verrassing. Natuurlijk zocht ik, toen ik bij De Slegte voor een prik die vertaling had aangeschaft (de Bijbel moet je altijd bij De Slegte kopen, gelovigen dumpen daar en masse het Woord Gods), meteen de drie bijbelplaatsen op waar de schuifuit genoemd wordt. Wat had Willibrord ervan gemaakt? Je raadt het nooit: de ibis. En dan zijn er nog mensen die beweren dat papen geen gevoel voor humor hebben. Ibis! Het is duidelijk dat de vertalers er hier op uit waren de gelovigen te bedotten.

Voor een nog grotere verrassing zorgde de Groot Nieuws Bijbel uit 1996. Daarin bleek de schuifuit getransformeerd te zijn tot een ransuil. Wat nu? De Heere God zou aan de voet van de Sinaï, midden in de woestijn, zijn volk op het hart gebonden hebben geen ransuilen te eten? Maar anders dan de oehoe ontbreekt de ransuil volledig in de woestijn. Deze prachtvogel tref je zelfs in heel Palestina hoogstens aan als dwaalgast, want het is een typische bewoner van bosachtige streken met een vrij koel klimaat. Was die ransuil door de vertwijfelde vertalers soms overgeschreven uit de Nieuwe Wereldvertaling van de Jehova's getuigen uit 1984?

Ondanks het feit dat het nergens op slaat om consumenten in de woestijn op het hart te binden toch vooral geen ransuilen te eten, heeft de veelgeprezen, ja zelfs beprijsde allernieuwste bijbelvertaling die zowel doeltaalgericht als brontekstgetrouw heet te zijn, ook weer glashard driemaal de ransuil. We kunnen dus zonder meer concluderen dat die uiterst bekwame vertalers er geen flauw benul van hadden welke vogel met het aldaar gebruikte Hebreeuwse woord bedoeld wordt. Of op zijn hoogst dat het om een of andere uil gaat. Pieter Oussoren heeft in zijn Naardense vertaling tenminste nog velduil. Dat is een vogel van open vlakten die in het Middellandse Zeegebied overwintert en soms zelfs in de woestijn wordt aangetroffen. 'Velduil' is in ieder geval veel minder dwaas dan 'ransuil', want dat is ronduit bespottelijk. Maar ja, wat wil je ook in een vertaling waarin zo'n misdaadromanwoord als 'opsporen' wordt gebruikt (1 Samuel 28 vers 7), waarin men rept van een 'bevloeiingskanaal' en waarin over koning Saul staat: 'Hij hoorde dat David en zijn mannen waren gesignaleerd' (1 Samuel 22 vers 6). Ik signaleer opnieuw – wat ik al eerder mocht signaleren – dat we hier met een weliswaar goed leesbare, maar helaas allerminst brontekstgetrouwe vertaling te maken hebben.

Het is overigens eigenaardig dat christenen al die expliciete voedingsvoorschriften uit het Woord als niet relevant ter zijde hebben geschoven. We kunnen er enerzijds natuurlijk alleen maar dankbaar voor zijn dat een geschrift waarin zo ontzaglijk veel dieren om al dan niet religieuze redenen worden afgeslacht, althans op dit punt, behalve hier of daar bij lugubure sektes, geen enkele zeggingskracht meer blijkt te hebben. Anderzijds is het uiteraard zeer eigenaardig dat zo'n duidelijk verbod op het eten van varkensvlees algemeen door christenen genegeerd wordt. Onder de nieuwe bedeling, zo heb ik in mijn jeugd steevast gehoord, geldt dat verbod niet meer. Merkwaardig toch dat allerlei andere oudtestamentische verboden, waaronder vanzelfsprekend de tien geboden van de Wet des Heren, wel geldig gebleven zijn, en dat er ook allerlei christenen zijn die als het over homoseksualiteit gaat, refereren aan de barbaarse voorschriften daaromtrent uit het Oude Testament. Maar varkens, zo nadrukkelijk in het Oude Testament verboden als voedsel, mag je eten, en CDA-christenen gaan voorop bij het schaamteloos uitbaten van deze diersoort in de bio-industrie.

Wat voedingsvoorschriften betreft is de Koran overigens coulanter dan de Bijbel. Daarin geen ellenlange opsommingen van vogelsoorten die niet gegeten mogen worden, maar eenvoudig de mededeling 'God heeft voor jullie slechts verboden wat vanzelf is doodgegaan, bloed, varkensvlees en vlees van iets waarover iets anders dan God is afgeroepen' (soerat 2 vers 172). Verderop in de Koran wordt het enigszins aangescherpt. 'Verboden is voor jullie wat vanzelf is doodgegaan, bloed, varkensvlees, vlees van iets waarover iets anders dan God is aangeroepen, het verstikte, het doodgeslagene, het doodgevallene, het doodgestotene, wat wilde dieren hebben aangevreten' (soerat 5 vers 3). Ook lezen we nog in de Koran: 'Toegestaan voor jullie is wat op zee gevangen wordt.' (soerat 5 vers 96)

Wie zich afvraagt waarom zowel in de Bijbel als in de Koran met zoveel nadruk wordt gesteld dat je geen bloed, varkensvlees en datgene wat ik gemakshalve maar aas noem, mag worden gegeten, kan twee kanten op. Is er een religieuze reden? Of moeten we het zoeken in de biologie? Mij dunkt dat er weinig twijfel over kan bestaan dat het verbod op het nuttigen van bloed, varkensvlees en aas een dwingende biologische reden heeft. Bloed kan de vreselijkste bacillen bevatten, bloed kan verzadigd zijn van huiveringwekkende *intelligent design*-virussen, en in het bloed circuleren tal van gruwelparasieten. Merkwaardig is daarom niet zozeer dat het nuttigen van bloed zowel door de Koran als door de Bijbel verboden wordt, als wel het feit dat je in mijn jeugd bij alle gereformeerde slagers in Maassluis inderdaad bloedworst kon kopen.

Aas is uiteraard ook een bron van bacillen. Vlees dat een tijdje in het Midden-Oostenzonlicht heeft liggen rotten, is vergeven van de ziektekiemen. Een dier dat vanzelf is doodgegaan, kan gestorven zijn omdat het leed aan een ziekte die ook de mens kan treffen. In feite zijn de voedselvoorschriften die Bijbel en Koran geven heel verstandig. Ook het verbod op varkensvlees, dat in de Koran vele malen herhaald wordt, is volkomen begrijpelijk. In de tijd van ontstaan van Bijbel en Koran waren alle varkens besmet met trichinen en sommige van de gemeenste lintwormsoorten die we kennen. Plus met vele andere Halloween-organismen die de vreselijkste ziekten kunnen veroorzaken. Want een varken deinst nergens voor terug, dat eet alles op wat op zijn pad komt, ook dode ratten die van top tot teen vergeven zijn van de parasieten. Als een moordenaar een lijk spoorloos wil laten verdwijnen, dan hoeft hij het maar in het varkenskot te gooien. Op Sicilië hield de maffia daarom op grote schaal varkens.

Als je met een lintworm wordt besmet, is dat meestal best overkomelijk. Waarschijnlijk is het zelfs nuttig om op jeugdigde leeftijd lintwormen in je lijf te hebben. Dat activeert het afweersysteem van het lichaam, en daardoor ben je op latere leeftijd minder gevoelig voor allergieën. Er is een theorie die zegt dat allergieën in de beschaafde wereld hand over hand toenemen omdat wij de parasieten uit ons lijf gebannen hebben. Als gevolg daarvan worden onze afweersystemen op jeugdige leeftijd onvoldoende geactiveerd. Overigens zou het heel goed mogelijk kunnen zijn dat er in vroeger eeuwen minder corpulentie voorkwam dan tegenwoordig, omdat de meeste mensen besmet waren met lintwormen, die, zoals bekend, hun slachtoffer mager houden omdat zij zich voeden met het voedsel van hun gastheer.

Maar trichinen kun je beter niet in je lichaam huisvesten. En die kreeg men vroeger in duizendtallen binnen als je varkensvlees at. Ik zal u niet vermoeien met een precieze uiteenzetting over de wijze waarop trichinen ons lichaam van binnenuit kalmpjes vermorzelen, maar laat ik volstaan met te zeggen dat deze piepkleine wormpjes voor talloze klachten en uiteindelijk de dood kunnen zorgen. Denk ook niet dat wij vandaag de dag die trichinen helemaal uitgebannen hebben. Waarschijnlijk loopt in Nederland nog zo'n twee procent van de mensen met een trichinebesmetting rond en in de even achterlijke als christelijke Verenigde Staten, waar men varkensvlees niet keurt op trichinen, zelfs een kwart van de bevolking. Dat zowel Bijbel als Koran het varkensvlees in de ban doen, is dus meer dan begrijpelijk. Daarom is het anderzijds totaal onbegrijpelijk dat christenen het verbod op varkensvlees volledig negeren.

Waarom de Bijbel zich, naast het verstandige verbod op bloed, aas en varkensvlees, uitput in lange lijsten van dieren die niet gegeten mogen worden, is niet altijd even duidelijk, ofschoon eigenlijk voor elk in de Bijbel genoemd dier geldt dat het, gelet op de ziektekiemen die het kan dragen, beter is ervan af te blijven. In feite is natuurlijk het eten van alle vlees buitengewoon onverstandig. Geen dier is vrij van nare parasieten en bacillen. Zo bezien is het eigenlijk onbegrijpelijk dat Bijbel en Koran geen vurig pleidooi bevatten voor het vegetarisme. Maar ja, ook als de Bijbel een vegetarische levenswijze zou voorschrijven, had het CDA, net zoals nu het geval is, de misdadige bio-industrie gekoesterd. Zo'n enorm respect als de moslims hebben voor hun heilige boek tref je bij christenen alleen nog aan in de donkerste uithoeken van het protestantisme. En zelfs de zwaarste en zwartste broeders gaan zich nog te buiten aan varkensvlees, dus God zal ook hen verdoemen.

Alle dieren eten brood

Onlangs verscheen er een jongedame die was voorzien van een reusachtige collectebus, aan de deur. Of ik een flinke bijdrage wilde storten tegen kinderarbeid, want kinderarbeid, wat was dat toch een verschrikkelijk verschijnsel.

'Ik weet niet,' zei ik tegen de lieftallige verschijning, 'of alle kinderarbeid onder alle omstandigheden afgewezen dient te worden.'

Zelf heb ik, onder het motto van mijn moeder 'Een kind moet het juk dragen in zijn jeugd', als peuter in de warenhuizen van mijn oom Cor en oom Jan tomaten geplukt. Om vier uur moest ik op, want de tomaten dienden om negen uur op de veiling te zijn. Klein als ik toen was, vijf jaar oud namelijk, kon ik makkelijk bij de onderste tomaten aan de plant. Hoefden mijn ooms niet te bukken, kregen zij het niet in hun rug. Op het eiland Rozenburg heb ik aardbeien geplukt voor de jamfabriek. Met mijn kindervingers, die daar zo geschikt voor waren, heb ik moertjes gesorteerd bij machinefabriek Van der Bendt in Maassluis, in een kistenfabriek op de Zuidvliet heb ik koppen getimmerd voor groentekistjes, voor een peulvruchtenbedrijfje uit de Taanstraat heb ik erwten gesorteerd, in de werkplaats van mijn oom, die harmoniums verhandelde, heb ik onbezoldigd gezangen gespeeld om de klanten te vertederen, waardoor mijn oom hogere prijzen kon bedingen. Met paard en groentewagen ben ik, dertien jaar oud, langs de deuren gegaan om aardappels, groenten en fruit uit te venten omdat een oudere neef ziek was geworden en zijn waren toch aan de man gebracht moesten worden, anders zouden ze bederven, jarenlang heb ik van zeven tot negen uur 's morgens bestellingen rondgebracht voor een slager, en ik heb zo'n tien jaar lang elke zomer in de maanden juli en augustus wekenlang als vakantiehulp bij een bakker gewerkt. Voorts stond mijn vader erop dat ik in voorjaar en zomer na schooltijd bij hem op de begraafplaats gras kwam maaien. Van al die werkzaamheden heb ik veel geleerd, nooit op enig moment heb ik er, met uitzondering van timmeren en grasmaaien, onder geleden dat ik kinderarbeid verrichtte, integendeel, ik was er juist reuze trots op dat mijn nicht het aandurfde mij erop uit te laten gaan met de groentekar. Het enige wat ik haatte, was het timmeren van die koppen in de kistenfabriek van Brinkman, wat een afschuwelijk werk. Daarbij werd je betaald per kop zodat je je uit de naad timmerde om per dag maar zo veel mogelijk koppen af te leveren. Maar o, de bakker... de bakker...

Aan mijn werkzaamheden als bakkersknecht bewaar ik, broodbezorging in de Piet Heinstraat ten spijt (zie hierna), de beste herinneringen. Betrad je om vier uur 's morgens de catacomben onder de bakkerij waar de broden gebakken werden, dan proefde je de gewijde sfeer. Alom heerste een gevoelen dat daar een essentieel gebeuren zijn beslag kreeg: de vervaardiging van de allereerste levensbehoefte: brood. 'Een bakker,' zei mijn patroon altijd, 'staat aan de basis.' Zonder brood zou alles tot stilstand komen. Slager en groenteboer zouden desnoods gemist kunnen worden, maar een bakker nimmer. De mens kan van brood alleen niet leven, volgens het Woord, maar zonder brood zou hij voorzeker creperen.

Om zijn woorden kracht bij te zetten verspreidden zijn twee ovens steeds krachtiger de verrukkelijke geur van vers brood. Waren de broden gereed, dan wachtte een beproeving. Dan moesten die broden uit hun bakblikken gewipt worden. Onvermijdelijk was daarbij dat je zo'n brood even moest oppakken, en dat deden al die witbestoven knechts alsof het de gewoonste zaak van de wereld was, ofschoon die broden als lavabrokken uit de oven kwamen. Je wilde je niet laten kennen, dus greep je ook manhaftig naar de broden, daarbij je vingers schroeiend. 'Op den duur,' zei mijn patroon troostend, 'krijg je vanzelf vuurvaste handen.'

Van mijn patroon – Jan Eysberg was zijn toepasselijke naam voor bij de lavabrokken – heb ik geleerd dat er maar twee soorten meel zijn: het echte tarwemeel, waar het bruine brood van wordt gebakken, en de gezeefde bloem, waar het witbrood van wordt vervaardigd. Bruinbrood is wat donkerder getint dan witbrood, maar echt bruin is het niet, het is op z'n hoogst donkergrijs. Daaruit volgt terstond dat al dat donkere, soms haast zwarte brood dat vandaag de dag her en der in supermarkten en bij warme bakkers wordt aangeboden, nepbruin is. Al dat brood wordt met gekarameliseerde mout zo donker mogelijk afgeleverd, omdat de consument tot gek wordens aan de kop gezeurd wordt dat hij zwart volkorenbrood moet eten. Volkomen ten onrechte heeft bij hem de gedachte 'hoe donkerder, hoe beter' wortel geschoten. Handig spelen de broodfabrikanten daarop in met vikorn, prokorn, waldkorn, gildekorn, het ene brood al donkerder dan het andere. Laat je toch niet verneuken, dit is allemaal bedrog, dit is brood met mout, en dat gebrande mout proef je terdege, met name in zo'n gruwelproduct als gildekorn. Sommige supermarktketens verkopen slechts één soort brood zonder zemelen in verschillende kleurstellingen. Koop je daar een bruin brood, dan heb je een smakeloos witbrood in handen waarvan de bloem met mout op kleur is gebracht. Witbrood dient onder alle omstandigheden gemeden te worden. Eén uitzondering. Maakt men een zeereis, dan is het verstandig om vlak voor vertrek flinke hoeveelheden witbrood te veroberen. Het blijft een eeuwigheid in de maag zitten en houdt daarmee dat orgaan rustig. Aldus voorkom je een van de vreselijkste ongemakken: zeeziekte.

Wil je, preventie van zeeziekte daargelaten, eerlijk bruinbrood eten, dan zit er niets anders op dan het te betrekken van reformwinkels waar ze nog stevig grijs bruinbrood verkopen, echt tarwebrood zoals dat in mijn jeugd nog overal door alle bakkers verkocht werd. Zulk stevig bruinbrood stilt de honger beter dan dat slappe nepbrood dat in supermarkten en helaas ook bij veel zogenaamde warme bakkers wordt aangeboden. Zeker, dat reformbrood is ook minder lekker (Hanneke: 'Jij bent niet goed wijs, reformbrood is juist veel lekkerder'), maar dat is een groot voordeel. Want hoe lekkerder iets is, hoe meer je ervan verorbert. Wie matig brood wil eten, ete reformbrood. Het onzevader dient derhalve aangepast te worden. Regel vijf: 'Geef ons heden ons dagelijks reformbrood.'

Om vast te stellen of je inderdaad met stevig reformbrood van doen hebt, raad ik de snelbinderproef aan. Vervoer een brood op de bagagedrager van je fiets onder de snelbinder naar huis, en als het nog dezelfde vorm heeft als toen je vertrok, heb je een verantwoorde keuze gedaan. Als het brood is ingedeukt, moet je voortaan iets anders kiezen. Als het brood verdwenen is omdat de snelbinder het in twee helften heeft gespleten, die vervolgens van je fiets zijn getuimeld, dan was het ronduit slecht brood. Je mag blij zijn dat je het onderweg hebt verloren.

Wil je geen reformbrood eten, bak je brood dan zelf. Aangezien de meest luxe broodbakmachines op de markt zijn, kan iedereen tegenwoordig in een handomdraai een verrukkelijk brood bakken. Waar het op aankomt is een leverancier te vinden van goed tarwemeel. Op dat punt is de verscheidenheid akelig groot, en veel vat heb je als consument niet op wat er aangeboden wordt. Vroeger kwam vrijwel al het tarwemeel uit de Verenigde Staten, thans komt het veelal uit Frankrijk, waar de grond helaas minder rijk is aan mineralen. Vooral seleen scoort slecht. Derhalve is die Franse tarwe een klasse minder dan het Amerikaanse meel.

Met behulp van zo'n broodbakmachine kun je ook allerlei andere soorten brood bakken, speltbrood bijvoorbeeld, of haverbrood of

Bakkerij Eysberg, Zuiddijk 18, olieverf/doek, H. van Beest (1909), particuliere collectie.

brood van rogge- en tarwemeel, of glutenvrij brood of sodabrood. Veel mensen hebben, zonder dat van zichzelf te weten, een allergie voor (de gluten uit) tarwe, en voelen zich opeens veel beter als ze op speltbrood overstappen.

Dat brood een universeel voedingsmiddel is, blijkt genoegzaam uit een verbazingwekkende waarneming: vrijwel alle dieren eten brood. Sommige dieren, geiten bijvoorbeeld, zijn er zelfs dol op. Ezels beginnen ook meteen te draven als ze een boterham ontwaren. Als aas voldoet het uitstekend om vrijwel alle soorten vissen te vangen. Als ik mijn bakkerskar indertijd soms enkele ogenblikken onbeheerd liet staan, hoefde ik er nooit bang voor te zijn dat er een brood ontvreemd werd (mensen stelen geen brood, bisschop Muskens' aanbeveling ten spijt, mensen stelen gevulde koeken, spritsen, krakelingen en kano's), maar wanneer ik bij mijn kar terugkeerde, hadden zich soms reeds drie of vier kokmeeuwen op het melkwit gestort.

Overigens impliceert het feit dat alle dieren brood eten niet dat dat ook voor alle dieren gezond is. Uit onderzoek is gebleken dat een wilde eend een jaar of dertien kan worden, maar wordt hij vanaf het juveniele stadium door teerhartige dametjes met brood gevoerd, dan blijkt zelfs twee jaar amper haalbaar.

Als broodbezorger heb ik een paar verbazingwekkende waarnemingen gedaan. Je verkocht altijd twee soorten brood, gesneden brood en ongesneden brood. Anders dan je zou verwachten, waren juist de armsten de gretige afnemers van het toch iets duurdere gesneden brood, zoals ook de armsten altijd vielen voor de duurste broodsoorten: melkwit, casino. De gebro's, zoals wij de gesnedenbroodafnemers noemden, werden steevast spinnijdig als je moest bekennen dat je gesneden brood op was. De obro's daarentegen namen zonder morren gesneden brood af als je geen ongesneden brood meer in de kar had, en betaalden daar zonder morren iets meer voor. Naar roggebrood was altijd weinig vraag, en je verkocht het in de straten der allerarmsten nooit. Juist daar zette je gevulde koeken, zakjes met krakelingen, kano's en allerhande andere ongezonde versnaperingen af. Maar zo'n luxeverschijnsel als het puntje verkocht je juist weer niet in de wijken der armsten. Puntjes werden uitsluitend door rijkaards afgenomen.

Indertijd – ik spreek nu over de jaren vijftig en zestig van de vorige eeuw – beschouwde men het feit dat een bakker met een welgevulde kar aan de deur verscheen, als een onvervreemdbaar recht van iedereen, als een pijler van het bestel. Daar mocht niet aan getornd worden. In een van de straten waar ik brood bezorgde, de Piet Heinstraat te Maassluis, bekeerden vrijwel alle inwoners zich als gevolg van blind fanatisme van één bewoonster, mevrouw Westein, tot de zevendedags-adventisten. Een hoeksteen van hun luguber koldergeloof is dat christenen ten onrechte de zondag zijn gaan heiligen; als rustdag dient de zaterdag weer in ere hersteld te worden. Een van de voorgangsters van deze beweging, de totaal geschifte mevrouw Ellen White, heeft eens gezegd: 'Als alle christenen van oudsher bij de zaterdag als rustdag waren gebleven, zouden er nu geen atheïsten zijn.'

Enfin, toen ik op een zaterdag in deze straat brood wilde bezorgen, werd ik (sabbatsheiliging!) door woedende, met bezems en mattenkloppers gewapende bewoonsters de straat uit geslagen. Vier gezinnen in de Piet Heinstraat hadden de druk tot bekering met succes weten te weerstaan, en klaagden de week daarop woedend bij bakker Eysberg dat zij op zaterdag geen brood bezorgd hadden gekregen. Derhalve drong Eysberg er de volgende zaterdag bij mij op aan terwille van die vier gezinnen toch met de kar de Piet Heinstraat in te gaan. En weer werd ik met mattenkloppers en bezems de straat uit gedreven. De week daarop heb ik brood bezorgd onder toeziend oog van de Maassluise politieman Kippenek.

Het onderscheid tussen gebro's en obro's is fundamenteler dan je op het eerste gezicht zou verwachten. Gebro's zijn de brutalen aan wier voeten de halve wereld ligt, obro' s zijn de zachtmoedigen en nederigen uit de Bergrede. Thans zijn de obro's vrijwel uitgestorven. Koop je een brood bij een bakker dan moet je met grote nadruk zeggen (en minstens tweemaal herhalen): ongesneden alstublieft, anders krijg je het met grote vanzelfsprekendheid gesneden afgeleverd. Er zijn drie redenen om het ongesneden te verlangen. De eerste reden is: ongesneden brood blijft langer vers. Is het brood gesneden, dan drogen die losse sneetjes sneller uit. De tweede reden is: wie zelf zijn brood snijdt, heeft toch, hoe weinig het ook voorstelt, enige lichaamsbeweging, en niets pleit tegen veel bewegen. De derde en belangrijkste reden is: de snijmachines in de bakkerswinkels snijden het brood in akelig dunne sneden. Wie zelf snijdt, snijdt drie wat dikkere sneden uit hetzelfde stuk brood waar een machine vier sneetjes van maakt. Let op – en dit is voor degeen die op gewicht wil blijven ronduit een levensles: eet je drie dikke sneden in plaats van vier dunne sneden, dan reduceer je daarmee de hoeveelheid beleg die je nodig hebt met 25 procent. Reken eens uit wat dat op jaarbasis betekent als je elke dag bij twee broodmaaltijden tweemaal drie respectievelijk tweemaal vier sneetjes verorbert. De eerste stap op weg naar gewichtsafname is dus de aanschaf van een ongesneden brood.

'Brot,' aldus zei een volslanke dame in een Duits restaurant ruim veertig jaar geleden tegen ons, 'macht dick.' Ik heb toen gedacht: mens, wat bazel je, maar ze had onmiskenbaar gelijk en daarom is de term 'broodmager' onbegrijpelijk. Montignac en Atkins hebben dezelfde boodschap ook uitgedragen, de laatste zelfs met zoveel nadruk dat het voedingspatroon in de Verenigde Staten erdoor veranderde. Hij zorgde, zoals Ariel Levy het zo mooi noemde, voor 'carb panic' en als gevolg daarvan, zegt Michael Pollan in zijn prachtboek *The omnivore's dilemma*, 'kregen twee van de meest heilzame en minst controversiële voedingsmiddelen der mensheid – brood en pasta – een kwalijk stempel opgedrukt, waardoor prompt dozijnen bakkers en pastafabrieken bankroet gingen en onnoemelijk veel maaltijden verpest werden'.

Pollan heeft gelijk, maar brood, een en al koolhydraten, maakt wel degelijk dik als je daar te veel van nuttigt. Bovendien herinner ik mij nog maar al te goed hoe bakker Eysberg aan het deeg, dat reeds traag in de reuzentrog rondwentelde, steeds hompen rundvet toevoegde. 'Met flink wat reuzel erin wordt het brood nog lekkerder,' riep hij dan opgetogen. Toevoeging van vet aan brooddeeg blijkt ook thans nog een algemeen aanvaard gebruik te zijn. Alle reden dus om niet te veel brood te eten, hoe lekker het ook kan zijn. Voor brood geldt helaas ook niet wat wij als eis aan alle voedsel dienen te stellen waarvan wij onbelemmerd willen dooreten: het moet de stoelgang krachtig bevorderen. Tarwebrood met zemelen draagt een ferm steentje bij aan de stoelgang, maar van groots laxeren is helaas geen sprake.

*

Brood, daar zit wat in

Zomaar een willekeurig gesneden zesgranenbrood uit de supermarkt. Achterop een etiket dat vermeldt wat erin zit:

water
zemelen
zout
tarwegluten
tarwebloem
glycerol F 422
olie (plantaardig)
antiklontmiddel E 170
emulgator E 472
bonenmeel

glucosestroop
eiwitpoeder plantaardig
meelverbetermiddel E 300
E 920
zuurstabilisator E 415
xanthaangum
sojalecithine
deciglyriden E 472e
darkmout
enzymen
volkoren roggemeel
maisgrutten
geplette rogge
milicorn
gerst
gepelde haver
suiker
volkoren tarwemeel
dextrose
gebrande mout
ascorbinezuur
sojabloem
gist

Aangezien je in het ongewisse blijft over de vraag wat E 920 *zou kunnen zijn, heb ik dat via Google opgezocht:*

E 920: *L-cysteïne, meelverbeteraar, verkregen uit veren en (menselijke) haren. (Vegetariërs, pas dus op!)*

Onder deze lijst staat: 'In gesloten verpakking koel bewaren.' Mijns inziens zou erop moeten staan: 'Onder geen voorwaarde uit gesloten verpakking halen.'

*

Roggebrood laxeert echter wel groots, dus het verdient aanbeveling om in plaats van vier sneetjes tarwebrood twee sneetjes tarwebrood en twee plakken roggebrood te eten. Roggebrood staat stevig in de maag, geeft je al snel een vol gevoel en scoort bovendien hoog op de laxeerladder. Behoefte aan een tussendoortje? Neem een plak roggebrood.

Maar het is niet alleen het koolhydraatrijke tarwebrood zelf dat dik maakt, ook het beleg draagt daar een flinke steen aan bij. Het begint al met een hoogst eigenaardig fenomeen: het besmeren van de boterham met boter dan wel margarine voordat het beleg erop gelegd wordt. Waartoe toch het brood besmeerd? Natuurlijk, boter op je brood, het is een feest, maar ja, boter is een en al gehard vet. Margarine is veel minder smakelijk en veel minder aantrekkelijk, slechte margarines zijn ronduit ongezond en al dan niet cholesterolverlagende Becel-producten zijn volgens mij stuk voor stuk levensgevaarlijk, dus margarine komt sowieso niet in aanmerking als smeerproduct. Dan toch maar boter? Maar waarom? Het is lekkerder, jawel, maar lekker hoeven onze maaltijden niet te zijn. Als ze maar voedzaam zijn en flink laxeren. Lekker is juist bezwaarlijk, want dan wil je meer.

Al weer vele jaren geleden heb ik de grote stap gedaan en ben ik ertoe overgegaan mijn boterhammen ongesmeerd te laten. Geen boter meer, geen margarine meer, het beleg rechtstreeks op de boterham zonder zo'n laagje dikmakend vet ertussen. Wat een vondst! Alle problemen ten aanzien van het besmeren der boterhammen, waarover in allerlei dieetboeken hele hoofdstukken vol zijn geschreven, waren in één klap opgelost. Tenzij het natuurlijk waar is wat je leest in recentere dieetboeken, zoals dat van dokter Arthur Agatston over het South Beach-dieet. Een laagje vet op brood zou de omzetting van broodzetmeel in glucose vertragen en daardoor piekt de bloedsuikerspiegel na een boterham minder snel. Of zulks ooit met degelijk onderzoek is aangetoond, waag ik te betwijfelen. Montignac bestrijdt Agatston weer, maar ja, die goeroe is volgens mij evenmin goed wijs. Wat te doen? Dan maar een rijp stukje camembert op het brood uitgesmeerd? (Pas op hoor, is erg vet.)

Dat brengt ons terstond bij het beleg. Ook daarmee kun je de barricades op. Waarom zou het beleg hartig moeten zijn? Al die ongezonde, veel te zoute vleeswaren waarin worstfabrikanten allerlei onderdelen van slachtdieren, tot longen, milten en kraakbeenkapsels toe, verwerken die ze niet rechtstreeks kunnen verkopen, moet je mijden als de pest. Ook fabrieksmarmelades en dergelijke verschijnselen dien je onverwijld van het broodmenu te schrappen. Daarin zit krankzinnig veel suiker, en suiker is een van de grootste dikmakende boosdoeners.

Zelf opteer ik 's morgens altijd voor dungesneden schijfjes banaan als broodbeleg, maar banaan bevat ook flink wat koolhydraten, dus banaan zet aan. Wie wil afvallen kan banaan beter vermijden. Wat echter ook verrukkelijk is: dunne schijfjes kiwi op de boterham. Aangezien zo'n kiwi ruimschoots voldoet aan de belangrijke eis die aan alle eten gesteld moet worden, namelijk dat ze flink laxeert, kun je nauwelijks beter broodbeleg wensen dan zo'n fantastisch groen bolletje. Dungesneden schijfjes aardbei zijn ook uitstekend. Ook de aardbei laxeert. Andere vruchten die in aanmerking komen: tomaat, appel, peer, framboos, bosbes. Stuk voor stuk, op wellicht de peer na, sterk laxerende voedingsmiddelen die allerlei vitamines en mineralen bevatten en al die griezelig ongezonde vormen van vet en zout broodbeleg buiten de deur houden. Ook schijfjes komkommer komen in aanmerking als broodbeleg. Komkommers, daar zit helemaal niets in, dus die kun je veilig eten. Hanneke smeert soms een dun laagje tomatenpuree op haar boterhammen. Ook een optie, maar betrek je tomatenpuree van een natuurvoedingswinkel. Tomatenpuree van de supermarkt bevat bijna altijd flink wat suiker.

Rest de vraag hoe wij omgaan met het aantrekkelijkste broodbeleg, namelijk kaas. Daartoe dient een nieuw hoofdstuk aangesneden te worden over een aparte klasse voedingsmiddelen: zuivelproducten.

Zuivel

In een zuivelhandel heb ik mijn eerste woorden gesproken. Mijn zusje was net geboren, tweeënhalf jaar oud was ik. Goed verstaanbaar zei ik opeens, wijzend op Gouds belegen: 'Ikke kaas.' Waarop onze melkboer, de heer J. van Baalen sr., goedgunstig voor mij een stukje kaas afsneed. Eenmaal weer thuis kreeg ik ervan langs. 'Je mag niet om kaas vragen,' zei mijn moeder. En ze herhaalde het een dag later toen wij de straat overstaken om bij overbuurman Van Baalen een 'kop karnemelk' aan te schaffen. (Mijn moeder stak elke dag de straat over om een 'kop karnemelk' te halen. Waar had ze toch zoveel karnemelk voor nodig? Ze weet het niet meer.) Ik stond daar, had nog nooit een volzin gesproken, maar toen schijn ik, heftig nee schuddend met mijn hoofd, elk woord met grote nadruk uitsprekend, duidelijk gezegd te hebben: 'Maarten mag niet om kaassie vragen.'

Een hartstochtelijke hunker naar kaas zat er kortom al vroeg in. Mijn hele leven lang heb ik maar weinig eetwaren smakelijker gevonden dan een bruine boterham belegd met kaas. Liefst overjarige kaas die tintelt op de tong. Goed, je las dat kaas akelig veel harde vetten bevatte en bijdroeg aan het dichtslibben van je aders en slagaders, maar ik dacht altijd: verder verorber ik nauwelijks vet, dus kaas mag.

Laat ik nu van Jaap Huibers het advies krijgen: eet vooral geen kaas. Kaas zit barstensvol stoffen – biogene aminen zoals histamine, tyramine, cadaverine, putrescine, fenylethylamine en tryptamine. Al die stoffen bevrijden de histamine die in onze lichaamscellen ligt opgeslagen. Die bevrijde histamine prikkelt vervolgens al je zenuwcellen, prikkelt dus ook de zenuwcellen in je hart en daar krijg je hartritmestoornissen van. In zijn boekje *Voedsel* heeft Huibers alles aangaande de biogene aminen op een rijtje gezet. Daarin lezen we: 'Kaas behoort tot de biogene-aminenrijkste voedingsmiddelen. Histamine en tyramine komen in bijna gigantische hoeveelheden voor in tal van kaassoorten. De oorzaak hiervan is gelegen in het feit dat kaas een rasecht fermentatieproduct is. Tijdens het rijpingsproces van kaas vormen zich aanzienlijke hoeveelheden biogene aminen.'

Terwijl ik het las, drong zich een even noodlottige als onvermijdelijke conclusie op: voor mij nooit meer kaas. Maar moest ik dan al mijn reformboterhammen met plakjes kiwi beleggen? Dat vond ik een brug te ver. Een poosje heb ik Tartex geprobeerd, zo'n smeerseltje uit het reformhuis. Na een week kokhalsde ik van de geur. Ik heb Biopaté op m'n brood gestreken. Het is vervaardigd van sojabonen, dus onthutsend gezond. Helaas, reeds bij de aanblik van zo'n potje vliedt dadelijk mijn trek.

Een ramp had mij getroffen. Wat ik – en dat besef dank ik aan Huibers – altijd buitengewoon lekker heb gevonden, een bruine boterham met kaas, werd mij door zijn ferme taal opeens ontzegd. Zeker, het was een feit dat ik toen ik kaas had verbannen, ontegenzeggelijk minder last had van hartritmestoornissen. Maar ik lag wel terneergeslagen in bed. Als ik wegdommelde, zag ik niets anders voor me dan boterhammen met kaas, broodjes kaas, geraspte kaas, spaghetti waar kaas overheen gestrooid was, quinoa waarin je de kaas zag glinsteren, pizza' s waarop tussen de tomaten- en paprikastukjes de kaas goudgeel glansde.

Enige jaren geleden kon ik het bij het hazegrauwen in bed niet meer uithouden. Ik ben naar beneden geslopen, heb een bruine boterham afgesneden en heb daar toen een paar dikke plakken kaas op gelegd. Zoals ik toen gesmuld heb! Nu begrijp ik wat mensen lijden die gestopt zijn met roken.

Toch was het mij na die nachtelijke kaasorgie duidelijk dat ik het ten aanzien van kaas op een akkoordje moest gooien met mezelf. Platina zegt in de vijftiende eeuw in zijn boek *De honesta voluptate et valetudine* (Over oprecht genot en goede gezondheid): 'Oude kaas is slecht verteerbaar, hij is niet goed voor de maag en de ingewanden, hij veroorzaakt gal, jicht, pleuris en nierstenen.' Ook Harold McGee zegt in zijn standaardwerk *Over eten en koken. Wetenschap en cultuur in de keuken*: 'Histamine en tyramine, die veel voorkomen in cheddar, blauwe kaas, Zwitserse kaas en kazen in Nederlandse stijl, kunnen een verhoogde bloeddruk, hoofdpijn en uitslag geven bij mensen die er extra gevoelig voor zijn.' Met mijn buurvrouw Joke, een zelfkazende boerin, heb ik afgesproken dat zij mij jonge kaas verstrekt waarin zij geen zout heeft gedaan. In zulke kaas ontbreken de meeste histamine-achtige Huibers-verbindingen. Maar ja, niet iedereen heeft zo'n zelfkazende boerin aan de overkant van zijn sloot. Toch kun je bij de meeste kaashandelaren zoutarme of soms zelfs zoutloze kaas krijgen.

Het is eigenaardig dat je als je zulke zoutarme of zoutloze kaas verorbert, de eerste tijd het zout erin smartelijk mist. In feite proef je als je kaas eet vooral zout, en niet veel anders. Maar zout, een onmisbaar conserveringsmiddel – de ongezouten kaas van Joke blijkt in een mum van tijd beschimmeld te zijn – verhoogt de bloeddruk, en de mijne is al te hoog, dus ongezouten dan wel zoutarme kaas is voor mij een uitkomst. Als je eenmaal eraan gewend bent, blijkt ongezouten kaas toch smakelijker dan je zou denken. Als je dan onverhoeds in een plak winkelkaas bijt, schrik je van de keiharde, opdringerige, intolerante smaak van het zout. Zout houdt bovendien in ons lichaam veel water vast en levert dus indirect een belangrijke bijdrage aan gewichtstoename, en daarom zorgt ook het terugdringen van zout uit je voedsel voor gewichtsvermindering.

Goed, zout eruit, maar al dat vaste vet, wat daarvan te denken? Hier doemt een interessant probleem op. Kaas, echte boter, spekvet, reuzel, smout – het werd in vroeger tijden onbekommerd in grote hoeveelheden naar binnen gewerkt. In zijn boek *Zout* vertelt Mark Kurlansky: 'Een onderzoek uit 1884 toonde aan dat de Hongaren op het platteland gemiddeld per hoofd achttien kilo geconserveerd – gezouten of gerookt – vet aten, terwijl de stadsbewoners gemiddeld per persoon vijfentwintig kilo vet consumeerden. Daarin was niet begrepen de aanzienlijke hoeveelheid bewerkt dierlijk vet die gegeten werd als boter, om maar te zwijgen van boter zelf.' Jammer dat Kurlansky verzuimt mee te delen of die achttien respectievelijk vijfentwintig kilo per week, maand, kwartaal of jaar geconsumeerd werden, maar zelfs als het per jaar was, is het niet gering. Elders in Europa zal het minder zijn geweest, maar waar het ruim voorhanden was, zoals ook in Nederland, consumeerde men onbekommerd grote hoeveelheden vet en boter. Toch werden artsen toentertijd zelden geconfronteerd met hartinfarcten. De explosieve toename daarvan dateert pas uit de jaren dertig van de vorige eeuw. Op het internet tref je allerlei sites waarop hartstochtelijk betoogd wordt dat er geen enkele reden is om aan te nemen dat dierlijke vetten verantwoordelijk zijn voor dichtslibbende adertjes. Ik meng me liever niet in die discussie, maar enige twijfel ten aanzien van het categorisch afwijzen van dierlijk vet lijkt me gerechtvaardigd. Van boter en kaas zul je, mits met mate genuttigd, niet onmiddellijk omkomen. Desondanks schreef de eerdergenoemde Platina al in de vijftiende eeuw: 'Boter is warm en sappig, het is erg voedzaam en dikmakend, maar het bederft de maag bij herhaaldelijk gebruik.'

Onlangs las ik een statement van de arts Walter Willett, voorzitter van de voedselfaculteit van de Harvard School of Public Health: 'Mensen hebben helemaal geen zuivelproducten in hun voeding nodig. In enorme delen van de wereld wordt helemaal geen zuivel geconsumeerd.' En Harold McGee noemt 'de gewoonte van volwassenen om het onnatuurlijke voedingsmiddel melk te drinken' 'een aberratie van

Noord-Europeanen'. Willett en McGee hadden er ook nog op kunnen wijzen dat onze naaste verwanten, de mensapen, net als vele miljoenen mensen die beneden de evenaar wonen, zuivel in hun dieet eveneens volledig ontberen. Wat is melk anders dan voedsel voor het opgroeiende kalf? En waarom zouden wij uitgerekend voedsel (en alles wat ervan gemaakt wordt: kaas, boter, yoghurt, ijs enzovoort) dat zo duidelijk bedoeld is voor die specifieke doelgroep, in zulke grote hoeveelheden tot ons nemen? Het lijkt erop dat wij die aangename periode van ons leven waarbij we uit de moederborst melk opzogen, haast tot het graf toe willen verlengen met een substituut voor de moedermelk. Ik hoor nu al iemand roepen: 'Melk bevat calcium, en calcium heb je nodig voor je botten, anders dreigt ostereoporose!' Ach, ach, en die arme koe dan, die de hele tijd maar calcium via haar melk aan ons afstaat? Haar botten moeten wel uiterst broos zijn. Toch zakken koeien, behalve een enkele keer als ze net gekalfd hebben, gewoonlijk niet door hun poten. De calciummythe verdient nader onderzoek. Die wordt steevast gepropageerd door zuivelproducenten die van hun melkplas en boterberg af willen.

Ook de biochemicus Colin Campbell houdt het erop dat zuivelproducten tamelijk schadelijk zijn. Dat borstkanker in Nederland vaker voorkomt dan in enig ander land, wijt hij aan het feit dat in ons land, 'overvloeiende van boter, kaas en eieren', meisjes vanaf hun vroegste jeugd overvoerd worden met melk en melkproducten, waardoor ze op jongere leeftijd menstrueren dan in andere landen, met als gevolg dat ze al vroeg blootgesteld worden aan een geslachtshormonenbombardement dat uiteindelijk in borstkanker kan resulteren.

Hoe het ook zij, enige voorzichtigheid ten aanzien van het gebruik van melk en al die producten die ervan afgeleid worden, lijkt geboden. Veel Nederlanders drinken melk bij hun maaltijden. Ik zou die gewoonte afschaffen. Weg ook met al die toetjes waarin behalve melk ook akelig veel suiker is verwerkt. Misschien dat een enkel klontje boter, een beetje magere kwark, een teugje karnemelk geen kwaad kan, maar vast staat dat het tegen alle natuurlogica indruist om na het babystadium te volharden in de opname van een type voedsel dat exclusief voor dat stadium bedoeld is.

Toch lijkt er althans één zuivelproduct te bestaan waarover veel goeds gezegd kan worden: gefermenteerde melk. Het Turkse woord daarvoor is 'yoghurt'. Nobelprijswinnaar Ilja Metsjnikov, de immunoloog die ontdekte dat witte bloedlichaampjes infecties te lijf gaan, merkte op dat typische yoghurtconsumenten zoals Bulgaren en Russen langer leefden dan vergelijkbare bevolkingsgroepen die zich niet laafden met gefermenteerde melk. Volgens Metsjnikov zorgen melkzuurbacteriën uit yoghurt in het maagdarmkanaal voor een zodanig lage pH-waarde dat giftige ziekteverwekkers daarin een kommervol bestaan leiden. Later heeft men zelfs ontdekt dat die melkzuurbacteriën voor een coating op de darmwand zorgen, waar de ziekteverwekkers niet doorheen komen. Om die reden kan yoghurt van harte worden aanbevolen, ware het niet dat de tegenwoordige industriële yoghurt melkzuurbacteriën bevat die in onze darmen nauwelijks kunnen overleven. We zouden terug moeten naar die fameus dikke yoghurt uit mijn jeugd, die betonyoghurt waarin een lepel recht overeind bleef staan. Dankzij het feit dat ik als ik verse melk wil aanschaffen alleen maar een sloot hoef over te steken, kan ik zelf tamelijk moeiteloos – er komt weinig voor kijken – van die ouderwetse betonyoghurt maken. Dat is niet voor iedereen weggelegd, maar er zijn gelukkig ook nog natuurwinkels waar je stevige yoghurt kunt krijgen. Overigens wordt tegenwoordig nog maar weinig geloof gehecht aan de theorie van Metsjnikov.

Mireille Guiliano, de schrijfster van *Waarom Franse vrouwen niet dik worden*, zweert behalve bij preisoep, bij yoghurt die zij zelf maakt met een yoghurtmachine. Yoghurt is haar ultieme tussendoortje. Preisoep en yoghurt houden als twee zuilen haar slankheidstempel overeind. Verbazingwekkend dat iemand zoveel heil verwacht van één enkel voedingsmiddel. Maar dat zie je wel vaker bij gelegenheidsdenkers over eten en zwaarlijvigheid. Zelf zweer ik immers op vergelijkbare wijze bij quinoa. Overigens schijnt yoghurt die gemaakt is van geiten- of schapenmelk, beter te zijn dan yoghurt van koeienmelk, en het toppunt is yoghurt van paardenmelk. Ten tijde van Djengis Khan werd paardenmelk gefermenteerd en dat leverde het product koemis op. Vooral dankzij dat krachtvoer koemis zouden de Mongoolse veroveraars hun grote successen behaald hebben. Klinkt veelbelovend, maar ja, paardenmelk, hoe daaraan te komen? Zelfs voor mij blijkt dat, al woon ik naast een manege, te hoog gegrepen.

Volgens Udo Erasmus (*Vitale vetten, fatale vetten*) levert de zadelrob de best denkbare melk. Vijftig procent meervoudig onverzadigde vetzuren, hoger dan bij enig ander organisme. Iets om te onthouden als straks de zeespiegel onder invloed van de opwarming van de aarde zodanig gestegen is dat de hele wereld onder water staat. Dan kunnen wij vanuit onze woonboten misschien op die enkele zandbankjes die nog boven water uitsteken zadelrobpopulaties weiden terwille van hun superieure melk.

Ik zou nog een lans willen breken voor een ander zuivelproduct, waarvan het enige bezwaar is dat je er niet zo gemakkelijk aan kunt komen, tenzij je bevriend bent met een veehouder. Dat zuivelproduct heet biest. In *De Dikke Van Dam* zoek je vergeefs naar het lemma 'biest'. Zelfs in het register ontbreekt de term. Kennelijk heeft smulpaap Van Dam een van de verrukkelijkste gerechten nooit gesavoureerd. Biest, de eerste melk van een koe nadat zij gekalfd heeft, bevat minder vet dan gewone koeienmelk, maar meer eiwit. Omdat er zoveel eiwit in zit, kun je biest niet koken, maar moet je het wellen. Langzaam breng je het op temperatuur, ondertussen de biest zorgvuldig omroerend. Op enig moment, ongeveer bij 80 graden Celsius, transformeert de biest van vloeibaar in een tamelijk vaste, romige substantie en dan is zij gereed voor consumptie. Iets wat lekkerder smaakt, is wat mij betreft op de hele wijde wereld niet te vinden. Je kunt er ook onbelemmerd van dooreten, want het eiwit bestaat uit zulke lange ketens dat het een gewone darmwand niet passeert. Alleen kalfjesdarmwanden laten die eiwitten door. Dus dat eiwit poep je weer uit. Bovendien bevat biest speciale zouten die bij het pasgeboren kalfje de peristaltiek van de darmen op gang brengen. Diezelfde zouten zorgen ervoor dat biest onovertroffen laxerende eigenschappen heeft. Dus je hoeft niet bang te zijn dat je er zwaar van wordt. Helaas is biest het enige zuivelproduct waarvoor dat geldt. Bij alle andere zuivelproducten, op goede yoghurt en kefir na, lijkt terughoudendheid een verstandige strategie.

Geldt dat ook voor eieren? Strikt genomen is het ei geen zuivelproduct, maar eieren worden altijd in één adem genoemd met boter en kaas, en je kon ze vroeger slechts bij de melkboer verkrijgen. Wat is het ei echter anders dan een menstruatieproduct? En wie wil er nu menstruatieproducten eten?

Toch blijkt er onder dieren nauwelijks een gewilder type voedsel dan het ei. Vogels roven elkaars eieren alsof het goud is. Vissen zijn dol op alle soorten kuit, zelfs op kuit van hun eigen soortgenoten. Loosde een vrouwtjesstekelbaars bij ons in het Zoölogisch Laboratorium spontaan haar kuit uit haar opgezwollen achterste, dan stortten de andere vrouwtjes zich daar terstond bovenop en zag je wilde wervelingen in het water. Het vrouwtje dat als eerste de homp kuit wist te bemachtigen, werd door de andere vrouwtjes achtervolgd tot in de uiterste schuilhoeken van onze grote aquaria. Hetzelfde verschijnsel zag je in de aquaria met cichliden.

Waar ook maar eieren geproduceerd worden, bij alle ongewervelden, bij amfibieën, bij reptielen, ja zelfs bij eierleggende zoogdieren, blijken eierrovers van allerlei slag te popelen van ongeduld om zo'n heerlijk hapje te annexeren. Vaak genoeg heb ik aanschouwd hoe een geweldige opwinding zich meester maakte van ratten die een ei aangeboden kregen. Ook apen zijn dol op eieren. Een ei, kortom, maakt blij.

Aangezien het ei door het hele dierenrijk heen zo extreem gewild blijkt te zijn, lijken reserves ten opzichte van de menstruatieproducten van hoenders misplaatst. Het ei mag dan een cholesterolbom zijn, zo'n ei bevat evenveel goed als schadelijk cholesterol, dus een en ander neutraliseert elkaar hopelijk. Daarnaast bevat zo'n ei, afhankelijk weliswaar van wat de kip gegeten heeft, zoveel uitermate waardevolle zaken, waaronder ijzer, thiamine, luteïne, foliumzuur en vitamine E en A, dat het onverstandig van de veganisten lijkt om zich daar zo laatdunkend over uit te laten. Zowat het enige wat er niet in zit, is koolhydraat (slechts één procent van het gewicht).

Ten aanzien van eieren huldig ik het standpunt dat je die onbelemmerd kunt eten, een standpunt dat overigens – dat geef ik graag toe – mede wordt ingegeven door het feit dat onze drie kippen elke dag gemiddeld twee eieren leggen. Bovendien legt mijn pauw één reuzenei in de drie dagen. Wat zou ik met al die verrukkelijke verse eitjes moeten doen als ik de mening was toegedaan dat het eten van eieren ongezond is? Wat een enorm verschil trouwens tussen een vers eitje en zo'n supermarktgeval, dat al minstens een week oud is. Met zo'n vers eitje kun je inderdaad toveren. Direct onder de gat van de kip of de pauw vandaan gekookt, wedijvert het in smaak met tintelende oude kaas. Via de kip en de pauw kun je alle soorten *Stellaria* (muur), die zo overvloedig in je tuin groeien en waarop de hoenders zo dol zijn, omzetten in smakelijke eitjes met superieure onverzadigde vetten als linolzuur en alfalinoleenzuur om te compenseren voor het feit dat je onkruiden helaas niet eten kunt.

Bij proeven met dieren die uitsluitend rauwe eieren te eten kregen, is gebleken dat ze afvallen. Wellicht geldt dat ook voor mensen. Maar pas op met rauwe eieren: ze kunnen met salmonella besmet zijn, dus alleen al daarom: beter geen tiramisu. Vanwege alle andere ingrediënten een echte dikmaker trouwens, dit toetje. (Absoluut verboden in het dovemansorendieet.) Zoveel is intussen wel zeker: als dieren afvallen van de consumptie van rauwe eieren, zullen mensen van gekookte eieren hoogstwaarschijnlijk niet aankomen. Wie wil afvallen, hoeft het ei dus niet af te zweren. Spijtig is echter wel dat wij zo exclusief voor het kippenei gekozen hebben. Zoveel totaal verschillende hoenders, ganzen, eenden, kalkoenen, pauwen, en toch altijd alleen maar de kip (en soms de kwartel)? Waarom? En waarom houden wij bijvoorbeeld geen schildpadden? Schildpadeieren zijn beter dan kippeneieren. Ook denk ik dat er allerlei slangen zijn – die wij vrij makkelijk zouden kunnen houden – waarvan wij de eieren profijtelijk zouden kunnen nuttigen. Een kip is een HSP-organisme* dat al van een piepklein beetje stress overstuur raakt en dan een inferieur ei produceert. Permanent gestreste kippen zoals die uit legbatterijen produceren derhalve snerteieren. Dus mijd in elk geval alle soorten supermarkteieren die niet van scharrelkippen afkomstig zijn.

* HSP: *High Sensitive Person.*

Een kool stoven

Geboren en getogen ben ik in een stad waar iedereen eeuwenlang zijn werk vond in de visserij of in aanverwante ambachten. Toen ik opgroeide, was die eertijds zo uitbundig bloeiende bedrijfstak in Maassluis echter volledig weggevaagd. Daardoor ontbeer ik, al heb ik als kind wel mijn sporen verdiend als hengelaar, helaas eigen ervaring met de zeevisserij. Dat wordt enigszins gecompenseerd door mijn ervaringen als parttime broodbezorger en slagersjongen. En met de teelt en de verkoop van warmoezerijgewassen ben ik zelfs vertrouwd vanaf de luiers. Nadat mijn vader carrière had gemaakt als boerenknecht, stapte hij over op de tuinderij. Toen ik geboren werd, was hij knecht van een tuinder met de passende naam Poot op een kwekerij in de Westgaag te Maasland. Poot stierf en mijn vader bestierde de tuin alleen. Aan vrouw Poot droeg hij de helft van de opbrengst van zijn werkzaamheden af. Voor haar een alleszins bevredigende regeling, voor hem minder, en daarom liet hij zich omscholen tot grafmaker.

Aan een zijweg van de Westgaag, de Herenlaan, bevonden zich het warmoeziersbedrijf en de druivenkassen van mijn grootvader Arie van der Giessen. Drie van zijn zes zoons waren ook reeds ingeschakeld bij de teelt van Frankenthalers. Zij brachten groenten en druiven naar de veiling. Daar leerden ze mijn vader kennen. Hij ging eens een keertje mee naar de Herenlaan. Mijn moeder constateerde dat zijn bretels kapot waren. Zij herstelde zijn bretels, en een en ander had uiteindelijk tot gevolg dat mijn vader en mijn moeder op 26 augustus 1941 met elkaar huwden. Ik ben dus het bijproduct van brieke bretels.

Op beide tuinen, die van mijn grootvader en die van vrouw Poot, heb ik vele voetstappen liggen. Ik weet wat ervoor komt kijken om bloemkool en spinazie en tomaten te kweken. Ben je zo akelig consciëntieus als mijn grootvader, dan komt er ontzettend veel voor kijken, dan ben je dag en nacht 'in touw', zoals hij het noemde. Mijn vader nam zijn taak wat lichter op, maar zijn producten konden dan ook niet in de schaduw staan van die van mijn grootvader. Dat was altijd exportkwaliteit. En toch, ondanks het feit dat hij op de veiling steevast de hoogste prijzen voor zijn groenten wist te bedingen, was het een schraal bestaan, daar op de Herenlaan. 'Maar honger hebben wij nooit geleden,' aldus mijn moeder, 'want wat m'n vader niet goed genoeg vond voor de veiling, kregen wij op ons bord, en hij was maar zelden tevreden over z'n spullen, dus wij werden overvoerd. Maar er was geen geld, dus vlees en kaas en dat soort dingen kregen wij nooit. Zelfs brood maar mondjesmaat.'

Mijn grootvader en grootmoeder (Lena de Winter) hadden negen kinderen, net als, om het overzichtelijk te houden, de ouders van mijn vader. Van vaderskant leeft er al sinds jaar en dag niet één meer, terwijl er van moederskant nog zes van de negen in leven zijn. Toeval? Of is dat verschil te danken aan het feit dat de negen Herenlaan-kinderen voornamelijk met groenten, Frankenthalers en fruit zijn volgestopt, terwijl de negen kinderen van zuivelhandelaar Maarten 't Hart hoofdzakelijk gespijzigd werden met datgene wat onverkoopbaar was geworden, dus beschimmelde kaas, ranzige boter en bedorven melk? Behalve kaas verkocht mijn grootvader af en toe ook partijen uitgedroogde kruidkoek waar echte kruideniers van af wilden. Die partijen sloeg hij op onder de bedden van zijn negen kinderen. Zijn dochters vergrepen zich dan aan die kruidkoeken, en gaven ook hun broertjes ervan te eten. Je kunt je erover verbazen dat negen kinderen op een dieet van zuivel en kruidkoek nog zodanig floreerden dat ze in ieder geval de huwbare leeftijd hebben gehaald. Sterker nog, ze hebben zich, hun schrale jeugddieet ten spijt, zo uitbundig voortgeplant dat ik alleen al van vaderskant 44 neven en nichten heb (van moederskant slechts 26). Velen van de in totaal 70 bloedverwanten kan ik op straat tegenkomen zonder hen te herkennen. (Van de 44 is overigens minstens een dozijn reeds overleden, bij een van deze overlijdensgevallen zorgde overgewicht voor een uitzonderlijk bizarre samenloop van omstandigheden. De vrouw van mijn neef Arie kwam te vallen in hun bejaardenwoning. Omdat ze erg zwaar was, lukte het haar niet weer op te staan. Neef Arie zei: 'Wacht, ik help je wel even overeind.' Hij kwam omhoog uit zijn stoel, liep naar zijn vrouw, boog zich voorover, werd op dat moment getroffen door een hartstilstand, en stortte met zijn loodzware lichaam boven op zijn vrouw. Urenlang heeft zij liggen gillen vooraleer er hulp opdaagde.)

'Groenten,' aldus mijn vader, 'kwamen er bij ons eigenlijk nooit op tafel. Af en toe ruilde die ouwe een kaasje voor een rollade, en dan kregen wij de touwtjes toegesmeten om ze af te kluiven.'

Wellicht hebben twee van de negen kinderen zo geleden onder dat eenzijdige dieet dat zij een carrière als groenteboer nastreefden. Een van de twee deed zijn groentezaak over aan zijn oudste zoon Maarten en ging verder als harmoniumhandelaar, en de ander emigreerde uiteindelijk naar Vlaardingen, waar hij zijn groente-imperium met behulp van zijn oudste zoon Maarten flink wist uit te bouwen. Aangezien ook een andere zoon van de harmoniumhandelaar een groentezaak begon, werd zowat heel Maassluis plus half Vlaardingen op enig moment door groenten van 't Hart bestreken.

Het zijn eigenaardige mensen, die leden van de familie 't Hart. Vooral de mannelijke 't Harten hebben eigenlijk maar één doel in het leven: het jennen, treiteren, pesten, sarren, tergen van hun medemensen. Niets doen zij liever dan hun naasten een poets bakken. Iemand voor de gek houden, dat vinden ze geweldig. Iemand in het ootje nemen – fantastisch. Het allerliefst stoven ze iemand een kool. Zelf formuleren ze het aldus: 'Niks leuker dan iemand bij de beer nemen.' Mijn grootvader begon daar al mee. 'Een pond zoete kaas, acht cent, een pond komijne erbij, vijftien en een halve cent, drie pond in de aanbieding voor een kwartje.'

Ze hebben (en hadden) één euvel, die 't Harten. Ze gaan succesievelijk en steeds maar weer opnieuw 'door hun rug' en liggen dan enige weken 'voor apegapen' op bed. En dan moeten andere leden van de familie inspringen. Zo geviel het op een keer dat een van mijn neven, uiteraard ook Maarten 't Hart geheten, door zijn rug ging, op apegapen lag, en als gevolg daarvan niet langs de deuren kon met zijn groentekar. Geen nood, genoeg Maarten 't Harts om hem te vervangen. Zo kwam ook ik aan de beurt. Ik zat toen al op het Groen van Prinstererlyceum, iets wat binnen de familie werd gezien als bizarre hovaardij, maar gelukkig had zo'n lyceïst vrijwel altijd vakantie, dus kon ik inderdaad inspringen.

Hoe oud was ik toen? Dertien? Twee weken had ik paasvakantie. Twee weken heb ik met de groentekar de klanten van mijn neef Maarten bediend. 's Morgens in alle vroegte moest je met de kar naar de veiling in Maasland. Het pakhuis van mijn neef bevond zich in de Sandelijnstraat. Achter in het pakhuis, in een aanpalend stalletje, bracht het hitje zijn nachten en zondagen door. Het was ter plekke zo donker dat je het hitje op de tast voor de kar moest spannen. Het was een onwaarschijnlijk lief dier, een gecastreerde hengst, dus een ruin. Als je binnenkwam, hinnikte hij vrolijk, en als je vervolgens de deur van zijn stalletje opende, liep hij zelf naar voren en posteerde zich tussen de bomen. Je hoefde alleen maar hier en daar wat tuig aan te brengen, en je kon op stap. Je opende de deuren van het pakhuis, ging op de bok zitten, en de hit wist zelf de weg naar de veiling. Zonder dat je hem hoefde te mennen, liep hij op een sukkeldrafje naar Maasland. Daar aangekomen werd je kar in een ommezien volgeladen door tuinders die hun waren liever ondershands verkochten dan dat zij ze veilden. Want veilde je je waren, dan konden ze die, tenzij ze van exportkwaliteit waren zoals de spullen van mijn grootvader, doordraaien en daar zaten die tuinders niet op te wachten.

Wat is doordraaien? In de grote hal van de veiling bevindt zich een reusachtige wijzerplaat. Handelaren bevolken de tribune. Er wordt een partij groenten voorgereden of voorgevaren, en dan begint de wijzer, aanvangend bij een torenhoog bedrag, langzaam terug te lopen. Wie van mening is dat het bedrag dat de wijzer op enig moment aangeeft, correspondeert met de waarde van de aangeboden partij groenten op kar of schuit, drukt op een knop en is aldus eigenaar van de waren geworden. Drukt er niemand, dan blijft de wijzer draaien tot het eindpunt, en is de groente dus 'doorgedraaid'. Doorgedraaide groente hoeft geen rommel te zijn, maar het aanbod van sla of tomaten kan zo groot zijn dat de wat mindere partijen doordraaien.

Net zomin als al die andere daar op het veilingplein aanwezige groenteboeren uit Maasland, Maassluis, Maasdijk, Vlaardingen en Schipluiden kocht mijn neef ooit exportkwaliteit in. Dat betekent dus dat in de jaren vijftig en zestig van de vorige eeuw veel Nederlandse consumenten altijd werden afgescheept met tweede keus groente, want de eerste keus was bestemd voor de export. Lang niet alles verdween dan overigens naar het buitenland. Veel kwam toch in eigen land terecht, maar dan bij dure restaurants of bij villawijkhandelaren.

Als mijn kar volgeladen was met tweede keus groenten (toepasselijker: afdankgroenten), zette de hit zich zonder dat ik ook maar iets hoefde te doen in beweging en begaf hij zich naar de eerste klant van mijn neef. Stevig hinnikend liet hij die geluksvogel weten dat wij voor de deur stonden. Waarschijnlijk had de hit, ware er geen geldtransacties gemoeid geweest met de overdracht van groenten aan de klant, geheel op eigen kracht alle klanten kunnen bedienen, zoals hij ook zonder dat daar iemand aan te pas hoefde te komen de groenten zelf op de veiling had kunnen halen.

Kwam de eerste klant naar buiten, dan volgden steevast bij haar, en ook bij vrijwel alle volgende klanten, uiterst moeizame onderhandelingen.

'Wat zal ik vandaag eens eten, groenteman?'

'Ik heb mooie postelein.'

'O nee, postelein, da's zo zuur, nee, daar hoef ik niet mee aan te komen, m'n man is zo kreen.'

'De krootjes zijn ook erg mooi.'

'O bah, kroten, die blieft m'n dochter niet.'

'Tuinboontjes dan?'

'Ajakkes, die zijn altijd zo bitter, o, wat is het toch moeilijk om een keus te maken. Hoe is je andijvie? Zal ik 't er maar eens op wagen om andijvie te nemen? Is ze een beetje mooi? Zijn 't flinke struiken? O nee, ik zie 't al, 't hartje is al papperig, och, wat moet ik nou toch doen, spinazie heb ik gisteren al gehad, daar hoef ik niet mee aan te komen. Dat was trouwens geen erg beste spinazie, hoor, ik heb ze wel eens beter gehad.'

En zo ging dat maar door. Alles wat op je kar lag, werd grondig geïnspecteerd en vervolgens 'doorgedraaid'. Terwijl er, als de bakker ergens aan de deur kwam, nauwelijks enige aarzeling te bespeuren viel (soms werd er even gedubd over de vraag of men casino dan wel knip zou nemen) en de slagersjongen probleemloos bestellingen opnam (men wist altijd precies wat men wenste), werd je als groenteboer geconfronteerd met eindeloos getreuzel en gepalaver, waaraan je zelf een bijdrage moest leveren. Je fungeerde als klankbord, met dien verstande dat alles wat je voorstelde altijd heftig werd verworpen. Mijn neef had, zoals het een echte pestkop betaamt, daar iets op gevonden. Wanneer zo'n dametje eindeloos aan het delibereren was, floot hij heel zachtjes tussen zijn tanden en als bij toverslag daalde dan uit de onderbuik van de ruin diens reusachtige lul omlaag.

'O nee, groenteman, niet weer... niet weer... zo meteen gaat hij weer zeiken, o, o, m'n schone, pas geboende straatje, o, gauw dan, geef maar een bloemkool.'

Mij lukte dat helaas niet. Ik was niet bij machte om dat typische sisgeluid voort te brengen. Dus zette ik minder bloemkolen af dan mijn neef. De bloemkool is de ultieme groente. Als zo'n klant in grote vertwijfeling verkeert ten aanzien van de vraag 'Wat eten wij vandaag?' komt ze onveranderlijk uit bij de bloemkool. Hoe langer er geaarzeld wordt, des te groter de kans dat zo'n huisvrouw uiteindelijk bezwijkt voor bloemkool. Tenzij er een groot aanbod is van sperziebonen. Die worden ook altijd gretiger afgenomen dan andere groenten. Als ik overigens een hoogst enkele keer een mannelijke klant trof, koos die zonder enige aarzeling meteen voor bloemkool.

*

Broccoli en andere koolsoorten

Van geen groente wordt de lof, vooral in de alternatieve sector, uitbundiger gezongen dan van broccoli. Geen groente zou beter beschermen tegen kanker. Een halve eeuw geleden, toen ik zelf nog een blauwe maandag met groenten langs de deur ben gegaan, was broccoli niet of nauwelijks verkrijgbaar. Een wonder dus dat toen niet iedereen kanker kreeg. Tegenwoordig zie je broccoli overal. Het is een groente die helaas vrij snel bederft, dat is een minpunt. Het is een groente die maar heel even gestoofd of gestoomd hoeft te worden, dat is een pluspunt. De vitamine C erin blijft dus grotendeels gespaard.

Niet elke broccolistronk blijkt helaas al die nuttige voedingsstoffen te bevatten. De kwaliteit van de stronken is zeer uiteenlopend. Als consument kun je niet zien of je met een goede dan wel slechte stronk te maken hebt. Zelfs biologisch-dynamisch geteelde broccoli kan een laag gehalte aan al die wonderbaarlijke mineralen en nutriënten hebben.

Broccoli is bepaald minder smakelijk dan bijvoorbeeld bloemkool. Aangezien dovemansoreneten niet lekker hoeft te zijn, is dat een pluspunt. Een pluspunt is ook dat je van broccoli beslist niet dik wordt. Daar kun je onbelemmerd van eten. Als het inderdaad bescherming biedt tegen sommige kankersoorten, is er gegronde reden om er veel van te eten.

Ik eet mijn broccoli vaak met quinoa. Even een uitje en fijngesneden knoflookteentjes fruiten (ik laat altijd eerst de pan zonder olie erin warm worden zodat de olie die je erin druppelt zich snel verspreidt over de bodem ervan; op die manier gebruik je minder olie dan als je de pan met olie erin koud op het vuur zet), een kopje water erbij, broccoliroosjes erbij, twee kopjes quinoa erbij, nog drie kopjes water erbij, en alles in plus minus tien minuten gaar laten worden. Wat oude geraspte kaas erover en je hebt een maaltijd. Ik geloof niet dat er een snellere manier bestaat om met verse ingrediënten een volwaardige maaltijd te bereiden.

Broccoli mag ik ook graag samen met makreel even smoren in een tomatensausje. Ook dan heb je binnen een kwartier een maaltijd op tafel staan. Ik geef er zilvervliesrijst bij, maar quinoa of gierst of couscous als onderlaag kan ook. Dankzij de tomaat heb je geen last van het vet uit de makreel. Het gerecht wordt nog lekkerder als je vlak voor het opdienen vers korianderblad uitstrooit over de tomaat en broccoli.

Een eigenaardig probleem van broccoli is dat de groente uit twee totaal verschillende onderdelen bestaat: de roosjes en de stronken. In het quinoagerecht gebruik ik de roosjes en houd ik dus de stronken over. Die garen namelijk minder snel, en zijn bovendien minder lekker dan die toch al weinig smakelijke roosjes. Maar juist die stronken schijnen al die nuttige nutriënten te bevatten. Zonde dus om daar niets mee te doen. Uit die stronken tover ik een quiche. Met de keukenmachine op de laagste stand vermaal ik die struiken tot flinterdunne reepjes. Van teffmeel (zie bladzijde 132) maak ik een taartbodem met opstaande randen. Daar leg ik die vermalen stronken in, ik giet er geklopte eieren over uit, bedek het mengsel met een laagje geraspte kaas en bak het geheel in veertig minuten in een oven bij 200 graden Celsius.

Het is verbazingwekkend hoe lekker zo'n stronkquiche uitpakt. Je kunt hetzelfde ook doen met selderijknol. Ook die vermaal je tot flinterdunne reepjes in de foodprocessor. Selderijknolquiche is nog iets smakelijker dan broccolistronkenquiche. Je hoeft overigens geen teffmeel te gebruiken. Kant-en-klare quichebodems of plakjes bladerdeeg – het kan allemaal, maar met teff is het toch net wat bijzonderder.

Spijtig genoeg is het verbazend moeilijk om broccoli zelf te telen. Jazeker, je kunt broccoli zaaien of bij tuincentra broccoliplantjes kopen, en broccoli groeit, mits goed bemest met goed verteerde koeienstront, uitstekend, maar je krijgt zelden zo'n mooie flinke, op bloemkool lijkende stronk. Je krijgt heel veel kleine roosjes. Ook niks op tegen, maar toch stoort het mij dat het zo moeilijk is zo'n mooie grote roos te telen. Aangezien het al die kwekers wel lukt, ben ik achterdochtig. Hoe doen ze dat? Jagen ze broccoli op met veel kunstmest? Het lijkt waarschijnlijk en daarom koop ik mijn broccoli altijd bij alternatieve winkels. Daar is de broccoli helaas vaak erg duur en zijn de roosjes klein, maar dat kan volgens mij ook niet anders als je het natuurlijk teelt. Dus het is maar wat je wilt, goedkope maar verdachte broccoli, of dure maar zonder kunstmest geteelde broccoli.

Of kool in het algemeen en broccoli in het bijzonder het ultieme wondermiddel is tegen kanker, waag ik te betwijfelen. Maar aangezien een mens in ieder geval, wil hij op gewicht blijven, zo veel mogelijk groente moet eten, is er niks op tegen vaak te kiezen voor het geslacht Brassica *op je bord.*

Laat ook de minikooltjes die spruitjes genoemd worden niet weg uit je menu. Er wordt altijd geklaagd over de spruitjeslucht van de Nederlandse letterkunde. Mits goed klaargemaakt, dus niet gekookt, geurt het spruitje amper, dus wat nou gezeurd over de lucht ervan? Spruiten bevatten veel vitamine C *en verder ook tal van andere gunstige stoffen. Zo van de plant geplukt zijn spruitjes ook rauw erg lekker, en op broccoli hebben spruitjes voor dat ze goed zijn te telen. Broccoli rauw, dat is helaas geen feest. Jammer, want bloemkool is juist rauw uitzonderlijk lekker. Chinese kool en spitskool kunnen ook rauw geconsumeerd worden. Heel fijn snijden, geen dressing erover, maar bijvoorbeeld rozijnen en/of krenten erdoor. O, wat lekker!*

Onvoorstelbaar gezond schijnt boerenkool te zijn. Bovendien is het uiterst gemakkelijk te telen. Je kunt het de hele winter door in je tuin laten staan en af en toe wat bladeren oogsten. Prachtig allemaal, maar helaas, ik kan het niet door mijn keel krijgen. Stamppot boerenkool, ik vind het een verschrikking. Toch heb ik waarachtig een aanvaardbaar boerenkoolrecept bedacht. Onder in de römertopf leg ik de grove bladeren van boerenkool. Daarop drapeer ik een in stukken gesneden Frans scharrelkipje. Anderhalf uur in de oven bij 220 graden Celsius en je hebt eetbare boerenkool. Door het uit het kippetje lekkende vet zijn de bladeren mals en smakelijk geworden. Ben je vegetariër, dan geef je het kippetje aan de hond; ben je dat niet, dan blijkt zo'n boerenkoolkippetje erg smakelijk te zijn.

*

Mijn stellige indruk is dat er wat groenten en fruit betreft bij de mens sprake is van een haat-liefdeverhouding. Op z'n minst staat men ambivalent tegenover het aanbod. Ik ben van mening dat deze ambivalentie onvoldoende onderkend wordt door voedingsdeskundigen en dat daarom de oproep om meer groenten en fruit te eten weinig effect sorteert. Is deze ambivalentie een product van de fylogenie (dat wil zeggen: is deze eigenschap in de loop van de evolutie ontstaan) of van de ontogenie (dat wil zeggen: is deze eigenschap ontstaan in de jeugd?) Daar is moeilijk achter te komen. Kinderen houden helemaal niet van groenten. Ze verfoeien alles wat ook maar een beetje bitter is, en witlof, andijvie en bijvoorbeeld ook tuinboontjes zijn akelig bitter, dus worden ze door kinderen met lange tanden gegeten. Kinderen haten ook alles wat erg zuur is, een enkel zot kind zoals ik uitgezonderd. Dus postelein en spinazie hoef je een kind niet voor te zetten. Veel bietjes, zeker de bietjessoorten die vandaag de dag geteeld worden, bevatten alkaloïden, die de zoete smaak ervan maskeren, dus daar doe je een kind ook geen plezier mee. Het enige wat ik als kind echt lekker vond, waren sperzieboontjes. Zelfs bloemkool lustte ik amper, om van andere koolsoorten en spruitjes maar te zwijgen. Fruit, daar was ik dol op omdat het zuur was, maar bij mijn broer en mijn zus kreeg je het er niet in. Op de framboos, de muskaatdruif en de kers na is er evenwel weinig fruit waar je Hanneke een plezier mee doet.

Wat groenten betreft denken veel mensen misschien stiekem wat de Wassenaarse kunstschilder Kees van Roemburg altijd openlijk rondbazuinde: 'Ik eet geen groenten, want ik ben bang dat ik anders uitloop.' Hij heeft dat kunnen rondbazuinen tot zijn achtentachtigste, dus zo heel ongezond lijkt groentenabstinentie toch niet, hoewel het hier natuurlijk maar één extreem geval betreft. Toch lijkt het erop dat consumenten opgelucht zijn als ze horen dat uit 'recent onderzoek' (let op, aan 'recent onderzoek' wordt steevast meer waarde toegekend dan aan 'oud onderzoek', hoewel recent onderzoek in een ommezien oud wordt) is gebleken dat groenten en fruit niet zo effectief zijn bij het voorkomen van kanker. 'Zie je nou wel, ik heb het altijd al gezegd,' hoor je dan her en der.

De meeste soorten fruit bevatten verbazend veel suiker, dus enige voorzichtigheid lijkt ook hier op haar plaats. En knolgroenten bevatten flink wat zetmeel, dus pas op. Helaas zijn de telers bovendien massaal overgestapt op groenten die zodanig veredeld zijn dat de bestrijdingsmiddelen tegen slakken en ander ongedierte er niet meer op, maar in zitten, en zo krijg je al etend van alles binnen waar je niet op zit te wachten. Gelukkig kun je, mits je over een lapje grond beschikt, zelf je groenten telen en daarbij kiezen voor ouderwetse, onveredelde gewassen. Teel je zelf, dan merk je wat een kunstwerk het is om een bloemkool tot wasdom te brengen en kijk je heel anders aan tegen de prijzen die daarvoor zowel in de reguliere als in de alternatieve biologische groentewinkels gevraagd worden. Bij de reguliere prijs denk je: voor dat bedrag kun je eenvoudigweg geen betrouwbare bloemkool kweken, dus die koop ik niet, en bij de veel hogere alternatieve prijs denk je: zelfs voor dat bedrag zou ik het zelf nooit volbrengen, en betaal je dus grif wat ervoor gevraagd wordt.

Als het waar zou zijn dat consumptie van veel groenten bescherming zou bieden tegen kanker en tegen hart- en vaatziekten, zou al lang moeten zijn gebleken dat één bevolkingsgroep er wat gezondheid uit springt: de bezitters van eigen volkstuintjes. Want wie een tuintje heeft, verdrinkt 's zomers in de groenten en consumeert ervan tegen de klippen op. Toch geloof ik niet, al ontbreken hier helaas vooralsnog populatiedynamische, gerichte onderzoekingen, dat volkstuinbezitters veel ouder worden dan snackbarjunks.

Wellicht heeft onze ambivalentie ten opzichte van groenten en fruit niet slechts een ontogenetische, maar ook een fylogenetische oorsprong. Hoe zijn groenten in de loop van de evolutie geleidelijk aan doorgedrongen tot onze menu's? Misschien hebben wij op de Afrikaanse savannes meer van wild en van noten geleefd dan van groenvoer. En als wij, wat sir Alister Hardy met begrijpelijke aarzeling naar voren heeft gebracht, miljoenen jaren in getijdengebieden en aan stranden hebben verwijld, waarbij we onze vacht verloren omdat we zoveel tijd in het water doorbrachten, dan hebben we ons daar vooral gevoed met wat de brandingsgolven voor ons neervlijden: kreeftjes, garnalen, platvisjes, zeesterren, stekelhuidigen, mossels, kokkels, oesters, schildpadeieren en misschien ook wieren en algen en alles wat dicht bij de kustlijn groeide (kokospalmen) en wat de zee verder maar aan voedzame zaken aanreikte. Dan is het maar de vraag of wij wel zo gebaat zijn met zoveel groente en fruit.

Desondanks blijf ik, anders dan toen ik nog klein was, dol op bijvoorbeeld spinazie. In ieder geval laxeert het, net als diverse andere groenten en net als vele fruitsoorten, dus in mijn keuken, waar het devies luidt: 'Overal mag ik in bijten, mits ik daarvan flink ga schijten,' nemen groenten en fruit de ereplaats in. Ik ben zelf weer teruggekeerd tot de stiel van mijn voorouders, die allemaal tuinder waren, en zwaarlijvig ben ik van de overvloedige consumptie van groenten en fruit in ieder geval nooit geworden, maar ik heb niet de illusie dat je, zoals je steeds weer in boekwerkjes uit de alternatieve hoek leest, met kool de kanker op de loop jaagt.

Net zoals bij vlees het geval was, kun je je er bij plantaardig voedsel over verbazen dat de mensheid zo exclusief gekozen heeft voor een beperkt aantal granen en groenten. Terwijl de aarde voor tweederde deel met zeewater bedekt is en je in de getijdenzones van dat zeewater duizelingwekkende hoeveelheden algen en wieren zou kunnen kweken, blijft de consumptie daarvan marginaal. Of je van wieren en algen zulke wonderen kunt verwachten zoals geclaimd wordt voor bijvoorbeeld spirulina en chlorella, staat te bezien, maar dat ze, mits veredeld, voedzaam zouden zijn, staat (al zou je deze gewassen onder water moeten telen) als een paal boven water. In Nederland zou je in de Ooster- en Westerschelde makkelijk wier- en algplantages kunnen aanleggen. Straks, als de aarde nog wat verder opwarmt en Nederland half onder water komt te staan, zullen wij onze laatste landbouwgronden daarvoor moeten herinrichten. Waarom thans niet reeds aangevangen waar het mogelijk is, zodat we knowhow hebben als de nood aan de man komt?

Overigens wordt zowel de blauwgroene alg spirulina als de groene eencellige alg chlorella aangeprezen als een tovermiddel waar je, naast alle andere voordelen die de consumptie ervan biedt (vitamines! mineralen!), ook van afslankt. Of daar ook maar iets van waar is, staat te bezien, maar dikke desperado's zouden allicht eens kunnen proberen of je met spirulina- en chlorellapreparaten enig succes boekt.

Behalve wieren en algen zouden ook schimmels en paddestoelen, die nauwelijks vet, weinig koolhydraten en juist voldoende eiwitten bevatten, ingezet kunnen worden in de strijd tegen overgewicht. Paddestoelen worden echter vrijwel uitsluitend voor het lekker gegeten, en met schimmels doen we nagenoeg niets, een veelbelovend product als 'vleesvervanger' Quorn niet te na gesproken. In plaats van varkensflats zouden wij schimmelflats moeten opzetten. Ach, al die betoverende producten die daarvandaan zouden kunnen komen. Eens zal het werkelijkheid worden, maar ik zal het helaas niet meer meemaken.

Vorstelijk voedsel

Vis is vorstelijk voedsel. Welk dieetboek je ook opslaat, nergens zul je waarschuwingen aantreffen tegen vis. Van vis word je niet vet. Vis bestaat voornamelijk uit hoogwaardig, voortreffelijk verteerbaar eiwit. En voor zover er vetzuren in zitten – en die zitten vooral in de zogenaamde vette vissoorten, haring, zalm, makreel, sardien, sprot, paling, tilapia, elft – zijn dat oergezonde, onverzadigde omega-3-vetzuren die hart en bloedvaten koesteren.

Waarom is vis voor de mens veruit het beste voedsel? Volgens sir Alister Hardy heeft de soort mens in de loop van zijn evolutie miljoenen jaren op de grens van land en zee geleefd. Vandaar dat er direct onder onze naakte huid, anders dan bij mensapen, die over een vacht beschikken, een warmte-isolerende laag 'blubber'vet zit. Vandaar dat wij onze zware lichaamsbeharing zijn kwijtgeraakt. Vandaar dat wij, anders dan onze naaste verwanten, de mensapen, rechtop lopen. Vandaar ook dat de haren op onze huid schuin omlaag groeien. Kan het water er beter af lopen. Vandaar dat pasgeboren baby's kunnen zwemmen. Vandaar ons vermogen om onze adem lang in te houden (duikreflex). Vandaar dat vooral vrouwen zo bang zijn voor griezels met kriebelpoten. Een oerherinnering aan de tijden dat je in zee door kwallen, waterschorpioenen, kreeftachtigen en dergelijke kon worden aangevallen. Maar uit zee kwam ook al het voedsel waar wij in de loop van onze evolutie steeds meer vertrouwd mee raakten: het eiwit en de vetten van mosselen, oesters, garnalen, kreeften en honderden vissoorten. Plus het onvervangbare chlorofyl van algen en wieren, van zeekraal en lamsoor. Plus al die schildpadeieren. Plus de producten van de kokospalm, die doorgaans vlak bij het strand groeit.

Hardy's theorie is aantrekkelijker dan de theorie dat wij miljoenen jaren op de savannes van Afrika hebben doorgebracht en vooral met jagen ons kostje opscharrelden. Maar onomstreden is de theorie allerminst, al heeft ze de laatste tijd weer wat aan status gewonnen. Helaas wordt de theorie niet geschraagd door fossiel bewijsmateriaal. Als wij eonen op het strand en in delta's hadden doorgebracht, zouden er in getijdenzones toch sporen gevonden moeten kunnen worden. Nu dat niet het geval is, blijft de theorie iets schimmigs houden.

In elk geval bekomt wat uit zee stamt, ons veel beter dan wat veeteelt ons oplevert. Echte landcarnivoren, zoals leeuwen en tijgers, floreren op een dieet van verzadigde vetten, die afkomstig zijn uit hoefdieren. Wij niet, wij floreren op onverzadigde vetzuren. Nog goed herinner ik mij dat A. den Doolaard op een vraag van Adriaan van Dis hoe het kwam dat hij, stokoud, nog zo gezond was, kortaf antwoordde: 'Elke dag een haring.'

Bij de research voor mijn roman *Het psalmenoproer* kwam ik in een zeventiende-eeuws visreclamepamflet het volgende rijmpje tegen:

Wie zich met haring spijst,
hem zal geen kwaad genaken,
totdat hij is vergrijsd,
zal hem de dood niet raken.

Helaas bevatten hedendaagse rauwe haringen die je bij zo'n straatstalletje koopt maar liefst 2 gram zout, en aangezien 6 gram het maximum is wat je per dag binnen mag krijgen (en dat is volgens mij nog te veel), heb je met één haring reeds eenderde binnen van wat je tot je mag nemen. Die andere tweederde heb je ook zo binnen, want in brood zit zout, in kaas zit zout, en in kant-en-klaarmaaltijden, soepen uit blik enzovoort zit zelfs krankzinnig veel zout. Dus ik ben toch, al begint het water door mijn mond te gutsen als ik mijmer over een zojuist schoongemaakte haring, voorzichtig met dat visje.

Als ik (met een slecht geweten) vis eet, dan maar liever een kakelverse makreel, die ik zachtjes gaarstoom in verse tomaten die ik in de blender heb gepureerd. Doordat je zo'n makreel in tomaat gaar laat worden, heb je geen last van al het vet dat in dat visje huist. De tomaat neemt het liefderijk op, en daardoor merk je er niets van.

Maar ja, ook met zo'n verse makreel moet je voorzichtig zijn. Hoeveel kwik is erin opgehoopt? En hoe is hij gevangen? Zeker, bij de makreel is thans nog geen sprake van overbevissing. Hoewel hij naaste familie van de tonijn en de bonito is, is het geen gewilde vis, deels omdat hij wel heel vers moet zijn, wil hij een beetje fatsoenlijk smaken, deels omdat hij zo akelig veel vet bevat. Omdat hij niets opbrengt, azen de vissers er niet op, maar dat betekent dus ook dat vissers er niet op uit zijn makreel te vangen. Makreel is altijd bijvangst. Wat was dan de hoofdvangst toen men hem ving? Ondermaatse tong? Als je hem koopt, kom je daar niet achter, dus het kan heel goed zijn dat hij en passant gevangen werd door vissers die tuk waren op een van de verrukkelijkste vissoorten, zeebaars (zeer bedreigd) of de wat minder verrukkelijke, maar toch altijd niet te versmaden kabeljauw (nagenoeg uitgestorven in de ons omringende zeeën en bijvoorbeeld bij Newfoundland zelfs helemaal verdwenen) of roodbaars (ook uitzonderlijk lekker, maar ook erg bedreigd) of al die fantastische platvissen die stuk voor stuk vrijwel verdwenen zijn, tarbot, tong, schol, schar, griet, tongschar.

Dankzij de *Vis-a-card* van Greenpeace kun je zelf vaststellen welke vis je nog wel en welke vis je niet meer kunt eten. Wouter Klootwijk ging nog een stap verder met zijn boek *De goede visgids*. De ondertitel ervan luidt: *Vis eten met een goed geweten*. Het is een uitstekend en nuttig boekje, waarin je precies kunt lezen welke vis je nog wel en welke vis je niet meer kunt eten. Dankzij een mooie kleurtabel kun je in één oogopslag zien wat nog wel mag (vis in de groene tabel) en wat absoluut niet meer mag (vis in de rode tabel). Helaas kun je als visser met Klootwijks visgids niet gericht de zee op gaan, vervuld van het goede voornemen uitsluitend groene vissen te vangen. De zee is geen groentetuin waaruit je zorgvuldig de gewenste soorten selecteert. Twee eeuwen geleden werd er in de beugvisserij zeer gericht op kabeljauw gevist, maar die tijden zijn voorbij.

Al waardeer ik de intentie ervan zeer, die goede visgids en die *Vis-a-card* zijn misleidend. Zelfs als de consument zijn in paneermeel gewentelde en vervolgens gefrituurde, dus dikmakende lekkerbekje (vaak doornhaai trouwens, ook een zeer bedreigde vissoort!) zou omruilen voor de gestoomde makreel, weet je nog niet of die makreel geen toevallige bijvangst was van vissers die in de Atlantische Oceaan aasden op de bijvoorbeeld ook al zo schaars geworden, peperdure zwaardvis.

Ons wordt wijsgemaakt dat voedsel vroeger schaars en duur was. Nu is er voedsel, althans in onze contreien, in overvloed voorhanden en naar verhouding spotgoedkoop. Vandaar al dat overgewicht. Voor vis geldt echter precies het omgekeerde. Vis is schaars geworden en peperduur. Dat laatste lijkt een voordeel, maar elk voordeel hep z'n nadeel, aldus Cruijff, en het nadeel hier is: het loont om die dure vis op de markt te brengen. Als ik nog zo'n twintig jaar leef, maak ik nog net mee dat de zeeën leeggevist zijn. Wat wij ook doen om dat tegen te gaan, visquota, strenge regels – niets helpt.

Enige tijd geleden wilde men de blauwvintonijn op de lijst van bedreigde diersoorten zetten. In Japan klonk een protest alsof de wereld verging. De blauwvintonijn staat dus nog niet op de lijst. Hij komt er pas op als hij helemaal verdwenen is. Op het moment dat ik dit schrijf, wil men de paling en doornhaai op die lijst zetten. Ook dat zal men waarschijnlijk niet voor elkaar krijgen. En zelfs al stonden blauwvintonijn, paling en doornhaai op die lijst, dan nog zouden ze vogelvrij zijn. Piraten zouden er korte metten mee maken.

Lees het onthutsende boek van G. Bruce Knecht, *Beet!*, over het leeggraven van de wereldzeeën. Wat Bruce Knecht vertelt over de verbeten jacht op ijsheek, is ronduit verbijsterend. Het sop is zo akelig ruim dat verspieders onmogelijk op al die zeeën en oceanen kunnen controleren of de vissers zich aan de regels houden. Doen ze dat wel, dan zijn er toch altijd nog illegaal opererende vissers uit landen waar ze het niet zo nauw nemen met de regels. De zeeën worden even verbeten als hardnekkig afgestroopt. Bovendien, als men zich al aan de regels houdt, wat ondermaats is en derhalve weer overboord wordt gezet is vaak ten dode opgeschreven als het weer in de zee terechtkomt.

Reeds ten tijde van het Psalmenoproer in Maassluis, in de tweede helft van de achttiende eeuw, maakte men zich er grote zorgen over dat de zeeën leeg raakten. Vergeleken met een eeuw geleden waren de haringvangsten gehalveerd. Bij IJsland ving je die reuzenkabeljauwen al niet meer waarvoor de vissers in hulkjes die ze hoekers noemden stortbuien, waterkou en zeeblizzards trotseerden. Wat toen nog heel gewoon was, de vangst van tarbotten en heilbotten die zo groot waren dat ze, als de hoeker in de havenkom van Maassluis aanlegde, met een handkar van boord moesten worden gehaald, doet zich thans niet meer voor. Niet alleen de vangsten van platvis zijn gekrompen, ook de vissen zelf zijn het. Ze krijgen de tijd niet meer om uit te groeien tot zeemonsters.

In Maassluis kon je ten tijde van het Psalmenoproer de rivier nog op varen om zalm te verschalken. De zalmvisserij was toentertijd een van de bloeiendste bedrijfstakken in de Maasmond. Overal vingen zalmvissers, toen schuttingmannen geheten, met hun schuttingschuiten kolossale vissen, die voornamelijk te Rotterdam verhandeld werden. Fortuinen werden er verdiend in de branche. De rijkste man van Maassluis was Govert van Wijn, de opperbaas van het schuttingwezen. Hij schonk de Groote Kerk het Garrels-orgel. Handje contantje heeft hij Ruud Garrels, de bouwer, steeds wat betaald als er weer wat pijpen bij gezet waren. Het Garrels-orgel is daardoor het enige orgel in Nederland waarvan wij geen benul hebben hoeveel het gekost heeft.

Om de kerkgangers onder aan de dijk een comfortabele wandeling naar de Groote Kerk te verschaffen schonk Van Wijn de gemeente de zogenaamde Breede Dijktrappen. Aan de diaconie schonk hij honderdvier rouwmantels. De Noordvliet liet hij op zijn kosten met bomen beplanten. Toen deze vrijgezel op vijfennegentigjarige leeftijd stierf, vonden ze op de zolder van zijn huis aan de Veerstraat zesentwintig schepelzakken met in elke zak zeshonderd gulden. Al dat geld had Van Wijn verdiend met de zalmvisserij. Toen schaarste, thans overvloed?

Als ik toen had geleefd, had ik, net als Van Wijn, die wellicht dankzij zijn dagelijkse portie zalm 95 is geworden, met een gerust hart af en toe een mootje vette omega-3-zalm kunnen eten. De vis werd verschalkt met ingenieuze fuiken. Bijvangsten had men nauwelijks. Voor elke zalm die op de markt gebracht werd, lieten niet tien andere ondermaatse visjes het leven. Nu heb je als je een poon koopt, geen enkele garantie dat de vangst van dat smakelijke visje niet gepaard ging met het ophalen van bedreigde soorten die nog ondermaats waren en dus op sterven na dood overboord werden geflikkerd. Alleen al bij de aanblik op de treurbuis van zo'n reuzennet vol vis dat aan boord van een trawler wordt gehesen en dan bruut op het dek leeg wordt gestort, neem je je voor om nooit meer aan zulke praktijken enige bijdrage te leveren in de vorm van de aanschaf van vis. Al die vissen die wanhopig spartelend op zo'n dek liggen en vervolgens zo onvoorstelbaar ruw en achteloos gesorteerd en verwerkt worden. Wat een monster is de mens! Niets is heilig of veilig voor het miserabelste en inhaligste organisme dat de wereld bevolkt. Al waar het enkel maar om draait, is profijt, winst, snel verdiend geld. Deze ruwheid en achteloosheid en meedogenloosheid zullen zich echter keihard tegen ons keren. Binnenkort zijn de zeeën schoon leeg.

Kan het kweken van vis soelaas bieden? Op den duur misschien wel, maar nu nog volstrekt niet. Zeevis kweken is razend moeilijk, met name omdat grote vispopulaties in afgesloten ruimtes vrijwel onmiddellijk van kop tot staart onder de huidparasieten zitten. Zelfs in de aquaria waarin wij op het laboratorium onze stekelbaarzen hielden, brak om de haverklap stip uit. Dat wordt veroorzaakt door een minuscuul parasietje. Niet meer dan een wit stipje op de huid, vandaar die naam. Maar de getroffen stekelbaarzen hingen als zombies in hun aquaria. Ze deden niets anders meer dan langzaam doodgaan.

Wil je zalmen opkweken zonder last van parasieten, dan moet je de dieren in zeewater houden waaraan zoveel antibiotica is toegevoegd dat één mootje zalm ermee doordrenkt is als het je bord bereikt. Daardoor verschaf je jezelf resistentie tegen antibiotica. Als je een gemene infectieziekte oploopt en vervolgens antibiotica nodig hebt, werkt zo'n medicijn nauwelijks meer. Overigens worden ook her en der in de bio-industrie varkens en kippen met duizelingwekkende hoeveelheden antibiotica gezond gehouden.

Zalmvlees is mooi rozerood. Waar komt die kleur vandaan? Zalmen jagen op garnalen die hun rozerode kleur, net als bijvoorbeeld flamingo's, danken aan een dieet van algen waarin de kleurstof astaxanthine voorkomt. Deze kleurstof is verwant aan bètacaroteen, dat voor de oranje kleur van de wortel zorgt. Kweekzalmen kun je geen garnalen verschaffen. Aanvankelijk kregen zij in hun visvoer de rode kleurstof canthaxanthine toegediend. Er waren echter aanwijzingen dat het pigment zich ophoopte in het netvlies van de consument en daardoor het gezichtsvermogen aantastte. Dus nu wordt de kleurstof astaxanthine in chemische fabrieken nagemaakt, en vervolgens toegediend. Kweekzalm, smakelijk eten, antibiotica en chemische kleurstof! En dan zwijgen we nog maar over het feit dat die kweekzalmen ontsnappen en paren met wilde zalmen, waardoor de wildezalmpopulaties genetisch vervuild worden.

Bij het kweken van vele andere soorten zeevissen doet zich het probleem van de kleurstof niet voor. Maar antibiotica zijn overal onmisbaar. Ook bij de kweek van zoetwatervissen. Op dat terrein bestaat reeds knowhow van eeuwen her, dus daar kun je iets meer vertrouwen in hebben, maar het parasietenprobleem doet zich overal voor. Alles wat leeft wordt geteisterd door vernuftige *intelligent design*-organismen die zich op of in het lichaam een aangenaam bestaan verschaffen en en passant hun gastheer in slowmotion vermorzelen.

Al die kweekvis moet bovendien gevoed worden. Waarmee? Met vismeel. Waar komt die vismeel vandaan? Uit fabrieken waar ze onder meer bijvangst tot vismeel verwerken. Is die bijvangst vervuild met kwik en PCB's en allerhande andere zware metalen en giffen, dan hopen die zich verder op in de kweekvis.

Wat vis betreft is de consument machteloos. Wil je een stukje vlees op je bord, maar verfoei je de bio-industrie, dan kun je naar de scharrelslager. Als je dat slappe, donkere moutbruin niet vertrouwt, kun je naar een reformbakker die nog eerlijk degelijk stevig tarwebrood bakt en verkoopt. Desnoods kun je zelf brood bakken. Griezel je van de bestrijdingsmiddelen die bij de groenteteelt gebruikt worden, en van genetisch gemanipuleerde gewassen, en van groentesoorten waarin door veredeling zoveel alkaloïden zijn opgehoopt dat de slakken erop spugen, dan kun je overstappen op biologisch-dynamisch geteelde groenten. Desnoods kun je zelf je groenten verbouwen. Maar wil je een visje, dan kun je niet naar de scharrelvisboer. Geen enkele invloed kun je via je portemonnee uitoefenen op de zeevisserij. Zelf vis vangen of kweken is nagenoeg uitgesloten.

Vis was ooit vorstelijk voedsel. Tegenwoordig is vis hachelijk voedsel. Van de voedseldeskundigen krijg je onophoudelijk te horen: 'Eet minstens tweemaal per week vis, want vis is goed voor hart en bloedvaten.' Je vraagt je overigens af wanneer dit inzicht weer vervangen zal worden door het dringende advies vis te laten staan, want helaas, ook al dit soort inzichten blijken modeverschijnselen. Wat vandaag opgeld doet, is morgen al weer passé. Intussen blijft het zeer bedenkelijk om in tijden van steeds groter wordende visschaarste, in tijden waarin de laatste vispopulaties met een nietsontziende meedogenloosheid en kilometers lange sleepnetten aan de zee worden ontwrongen, de mensen onbekommerd en voortdurend op hun kwetsbare hart te binden: 'Consumeer tweemaal per week vis.'

Anders dan ik zet de vrouw van de visboer geen grote vraagtekens bij dat advies. Dankzij het feit dat wij niet alleen op dezelfde dag jarig, maar ook in hetzelfde jaar geboren bleken te zijn, heb ik in de loop der jaren een warme band met haar opgebouwd, hoewel ik vanwege al mijn bovengenoemde bedenkingen nauwelijks vis meer koop. Maar ik kom haar nog vaak op straat tegen. Zowel de visboer als zijn vrouw zijn uitzonderlijk omvangrijk. Mij verbaasde dat. 'Wie appelen vaart, die appelen eet,' zei mijn vader altijd, dus ik ging ervan uit dat zoiets ook voor visverkopers zou gelden. Van vis kun je volgens mij onmogelijk gezet worden, niettemin wegen visboer en echtgenote samen minstens 250 kilo.

Daarom verstoutte ik mij op een dag de vrouw te vragen hoe het kwam dat haar man en zij, zoals ik het behoedzaam formuleerde, 'eruitzagen als Hollands welvaren'.

'Waarom wil je dat weten?' vroeg de vrouw.

'Wie vis eet, krijgt nauwelijks verzadigd vet en al helemaal geen koolhydraten binnen, en zou dus broodmager moeten zijn. Maar broodmager zou ik jullie toch niet direct willen noemen.'

'Je wou toch niet zeggen dat we mollig zijn,' zei de vrouw dreigend, 'want dat zijn we beslist niet, bij Jerry Springer zagen we een vent van vijfhonderd kilo, die was vet, bongelong, we halen samen amper de helft. Nee, mollig, dat zijn we niet en dat kan ook niet, want door de week eten we amper. En al helemaal geen vis. Denk je nou dat je, als je de hele dag tussen de vis zit, 's avonds nog zin hebt in zo'n snotterig scholletje of slap sliptongetje? Nee hoor, manlief en ik eten nooit vis, we zijn 's avonds zo moe dat we meestal helemaal niet meer eten, en overdag komt 't er ook amper van. Een enkel biertje bij de buis, da's ons diner.'

'Nou, dan begrijp ik niet dat jullie er toch zo goed uitzien.'

'Op zondag halen we een patatje oorlog of een kleinigheidje van de afhaalchinees, een flinke bak halfom bami en nasi met pindasaus en wat stokjes saté, daar zijn we allebei verzot op, maar dan heb je het echt wel gehad. Groenten en fruit eten we al helemaal nooit never, dus als we misschien ietsjepietsje stevig zijn kan 't daar toch beslist niet van komen.'

'Maar je wou me toch niet echt wijsmaken dat je door de week niks eet?'

'Heus, geloof me, op de dagen dat we de winkel runnen, eten we geen spat, waar we samen op draaien is wat we en passant opvissen uit het vet waarin we de lekkerbekjes bakken. Als je zo'n stukkie schelvis lekkertjes in het paneerbeslag sopt, en je smijt hem dan in 't gloeiende vet, schieten er altijd kloddertjes beslag weg, die je dan later met je schuimspaan als piepkleine, bruine oliebolletjes uit het vet vist. Het zou toch doodzonde zijn om die weg te flikkeren. Verrukkelijk hoor, o, o, wat verrukkelijk, die smikkelen we de hele dag door samen op, ja daar floreren we reuze goed op, en daarom hoef ik dus nooit te koken of brood te kopen.'

Slagersjongen

Amper was ik aangeland in de vierde klas van de Dr. Abraham Kuyperschool toen slager Brinkman bij ons in de straat op het lumineuze idee kwam mijn moeder te polsen of het niet een leuk bijbaantje voor mij zou zijn om zowel op zaterdagmiddag als door de week 's morgens voor schooltijd van zeven tot negen uur bestellingen te bezorgen. De bezoldiging zou twee gulden per week bedragen. Bovendien zouden mij op zaterdagmiddag aan het einde van mijn werkzaamheden kontjes leverworst, rookvlees en achterham en wat er verder nog was overgeschoten, meegegeven worden voor de avondboterham. En als bijzondere weldaad zou mij af en toe een zak kaantjes ter hand gesteld worden. Het voorstel klonk mijn moeder als muziek in de oren. Mijn hevige protesten haalden niets uit. 'Van zeven tot negen en op zaterdagmiddag zit je toch je tijd maar te verdoen met lezen,' zei ze, ' dus dat schitterende baantje komt als geroepen. Een kind moet het juk dragen in zijn jeugd.'

Slager Brinkman was een buitengewoon zwijgzame, vrij gedrongen, stevige, vlezige, welgedane verschijning. Zijn vrouw was zijn evenbeeld met bril en permanent. De Brinkmannen hadden een dochter en een zoon. De dochter hielp al in de winkel, zag er net zo vlezig uit als haar vader en moeder. De zoon, eveneens een bolle verschijning, was vrijgesteld van kinderarbeid. Daar hadden ze mij voor.

Als ik om zeven uur 's morgens de zaak binnenstapte, lagen de bestellingen al klaar. Ik kon zo aan de slag. Toch mocht ik dan graag even een blik werpen op de werkzaamheden van Brinkman. Op dat tijdstip vervaardigde hij gewoonlijk zure zult of palingworst of achterham. Behalve de kop, de staart en nog allerlei andere geheimzinnige onderdelen van het varken verdwenen ook bakken vol augurken in die zure zult. De zult was een vergaarbak van alle varkensresten waarmee een mens zich normaal gesproken zelfs onder dwang nooit zou verwaardigen te voeden, maar omgetoverd tot een glazige geleiachtige massa waarin de augurken als groene juwelen oplichtten, werd de vleespudding gretig door de gegoede Maassluizers afgenomen. Ook de vele worstsoorten van slager Brinkman werden alom geroemd. Dat hij duurder was dan andere slagers, vloeide logisch voort uit het feit dat hij, zoals mijn vader zei, 'geen rotzooi door zijn zult en worst heen doet'. Als dat inderdaad juist was, zo vroeg ik mij meermalen af, wat verwerkten andere Maassluise slagers dan door hun zult en bloedworst? 'Dooie honden en katten,' gromde mijn vader eens toen ik hem ernaar vroeg.

In de bloedworsten van Brinkman verdwenen behalve bloed ook longen, harten, hersenen en milten. En hij stopte er ook oud brood in, en meel, 'maar geen zaagsel', zei mijn vader. Plus natuurlijk allerlei vetranden die hij van lendelappen had afgesneden. En handenvol ranzige reuzel. En griezelig veel glinsterend keukenzout.

Of de zure zult en worst van Brinkman beter waren dan die van andere slagers weet ik niet, want ik heb nooit bij die andere slagers aanschouwd hoe zij hun zult en worst vervaardigden, maar ik weet wel dat ik dankzij mijn slagerijervaringen griezel van worsten en vleeswaren. Vooral worsten zijn dumpplaatsen voor alles wat niet meer rechtstreeks over de toonbank kan gaan, dus eet nooit worst in enigerlei vorm. Met kankerverwekkend nitriet wordt bovendien de houdbaarheid vergroot. Mijd ook alle rookworsten. Mijd kroketten. Mijd bitterballen. Dat zijn evenzovele afzetmogelijkheden voor zaken zoals onder meer paardenvlees van lijkkoetsknollen die nimmer verhandeld hadden mogen worden of die reeds lang over hun uiterste houdbaarheidsdatum heen waren. Bovendien zitten ze boordevol geniepige davervetten, die zich om je middel heen winden zoals een python zich rond een prooi slingert. Daarbij komt nog dat bijvoorbeeld kroketten gehuld zijn in paneermeel. Van die melige troep word je niet alleen zwaar, maar bij het frituren ontstaan daarin *advanced glycation endproducts*, afgekort AGE's. Dankzij die afkorting weet je terstond wat die endproducts veroorzaken: je wordt er vroeg oud van.

Wat ik iedereen ook ten sterkste afraad, is het eten van gehakt. In de tijd dat ik nog bij Brinkman werkte, mocht daar zelfs sulfiet doorheen, waardoor het gehakt niet verkleurde. Dat mag niet meer, maar verder gelden weinig beperkingen. Zelfs bonafide slagers verwerken daarin allerlei koe- en varkensresten die zij niet meer verhandelen kunnen. Als deze eenmaal door de molen zijn gegaan, zie je er niets meer van dat er door dat gehakt soms ook longen heen zijn gedraaid. In de buikholte van varkens en koeien hebben zich vaak grote hompen vuilgeel vet opgehoopt en al dat vet kun je in worst of gehakt kwijt. Het wordt er nog smakelijker van ook, omdat vlees op zichzelf nauwelijks smaak heeft, maar vet zoveel te meer. Dat een bal gehakt verbijsterend veel vet bevat, kun je maar al te goed constateren als je hem klaarmaakt in een römertopf. Daarin gestoofd is hij menigmaal van gehaktbal tot soepbal geslonken. Het vet heeft een goed heenkomen gezocht.

Wil je desondanks gehakt aanschaffen, zoek dan een slager die het gehakt in je bijzijn klaarmaakt. Met eigen ogen kun je dan aanschouwen wat hij door zijn molen draait. Overigens is het een vrijwel onmogelijke opgave zo'n slager te vinden. Vroeger wist ik er een, in de Donkersteeg te Leiden. Daar werd de gehakt vers voor je ogen gedraaid, maar ja, wel in de Donkersteeg, dus je zag toch amper wat erdoorheen ging.

Mij viel overigens indertijd al op dat de betergesitueerde klanten van slager Brinkman nimmer zulke zaken als verse worst of gehakt halfom lieten bezorgen. Anders dan bij de bakker, waar juist de klanten uit de achterstandswijken het dure melkwit afnamen, namen bij de slager de rijken altijd het duurste vlees af, varkens- en ossenhaasjes, lendebiefstukken, entrecotes. Die taalden niet naar goedkoop gehakt op woensdag gehaktdag. Veruit de rijkste familie in Maassluis was die van de directeur van scheepswerf De Haas, en bij die directeur bracht ik steevast elke week de meest prestigieuze onderdelen van rund en varken. Daar kreeg ik ook altijd een dubbeltje fooi, dus warme gevoelens doortintelen mij als ik terugdenk aan de familie De Haas. Zo'n dubbeltje, waarover ik thuis niet repte, betekende dat ik bij de bibliotheek van de Nutsspaarbank een boek extra lenen kon, want mijn twee gulden moest ik aan mijn moeder afstaan.

Hoe ambivalent ik destijds ook tegenover mijn werkzaamheden als slagersjongen stond, het kwam niet bij mij op vraagtekens te zetten bij het slachten en eten van dieren. Uiteraard wist ik van het bestaan van vegetariërs, maar die beschouwde ik als excentriekelingen. De mens was omnivoor. Bovendien werden biefstuk en mals rundvlees en varkenshaas door iedereen zo hemelhoog geprezen dat je wel een vreselijke kniesoor moest zijn om iets aan te merken op de smaak daarvan. Slechts uitzonderlijk rare snijbonen lieten dat vrijwillig staan. En Hitler was toch ook vegetariër geweest? Nou dan!

Ik keek dan ook mijn ogen uit toen ik voor het eerst een echte vegetariër ontmoette. Een buitengewoon tenger, asblond meisje, dat mij omdat ze zo opvallend bleek was dadelijk deed denken aan Jantine Schurink uit *Zo de ouden zongen* van Simon Vestdijk. Die opmerkelijke bleekheid was natuurlijk te wijten aan het feit dat de stakker nooit vlees had gegeten. Ernstige bloedarmoede. Op de terugweg van een heus congres van leden van de studentenvereniging op humanistische grondslag Socrates te Nunspeet aanschouwde ik op station Utrecht hoe dat ranke vegetarische meisje, geconfronteerd met een gerecht waarin minuscule stukjes ham waren verwerkt, uiterst zorgvuldig die varkensresten naar de rand van haar bord schoof. Het was een fascinerende aanblik. Zoveel moeite om zoiets onschuldigs als piepkleine, amper met het blote oog zichtbare stukjes ham te verwijderen. Het spotte met alles wat ik bij slager Brinkman had opgestoken. Duur vlees eten was een privilege van rijkaards. Achterham konden alleen betergesitueerden zich veroorloven; voor de arme sloeber kwam hoogstens pekelvlees in aanmerking. En ziedaar, nu drapeerde een tenger meisje haar stukjes ham op de rand van haar bord alsof het haren waren die je uit de soep viste. Dat ze daarmee de gangbare moraal ten aanzien van voedselopname op z'n kop zette ontging haar blijkbaar niet, want ze kreeg er een kleur van. Doordat ze haar hamsliertjes zo sierlijk en voorzichtig verwijderde, zich daar – want waarom zou ze anders blozen? – tegelijkertijd kennelijk toch ook een beetje voor schamend, was haar onvatbare gedrag even bevreemdend als vertederend.

Ze had een heel grote koffer bij zich. Dus toen wij met de trein in Leiden arriveerden, bracht ik haar thuis, want ja, zo'n graatmager, klein meisje met bloedarmoede kon natuurlijk zo'n grote koffer zelf amper dragen. Dat ze mij, toen ik die koffer voor haar twee trappen had opgedragen, uitnodigde om de zondag daarop bij haar te komen eten, bracht mij in een lastig parket. Eten bij een vegetariër? Wat kreeg je dan op je bord? Toen ik de zondag daarop aanschoof voor de maaltijd, werden mijn somberste verwachtingen bewaarheid. Ik kreeg een uiterst simpele maaltijd voorgezet, bestaande uit drooggekookte rijst met daarbij allerhande soorten groenten. Ze waren niet gekookt, maar hoogstens eventjes aangebakken.

Eraan terugdenkend kan ik na ruim veertig jaar alleen maar concluderen dat ik toen ik die maaltijd zonder morren wegwerkte, wel ongelofelijk verliefd geweest moet zijn. Afgeschrikt heeft die uiterst ongebruikelijke dis mij toen merkwaardigerwijs ook niet, want een jaar later trouwde ik met dat platinablonde meisje. Bij de bruiloftlunch kregen wij uiteraard ook een vegetarische maaltijd geserveerd. Mijn familie spreekt er nog steeds schande van. 'Bah, champignonpasteitjes en aspergesoep.' Onderweg naar huis heeft mijn vader zijn pasteitje op een perron uitgekotst.

Ten aanzien van het eten van vlees rijzen vele vragen. Moet men vanwege het dierenleed zijn biefstuk laten staan? Maar de mens is, zoals Beatrijs Ritsema niet ophoudt te verkondigen, toch omnivoor? O ja, en hoe komt het dan dat wij al ons vlees eerst duchtig moeten laten besterven en inleggen en bewerken en toebereiden en bakken en stoven voordat wij het kunnen nuttigen? Als wij echte vleeseters waren, zouden wij, in het bezit van scheurkiezen, terwijl het nog lekker warm is, de lappen rauw van de lijfjes van nog levende lammetjes kunnen rukken, net als roofdieren. Menig mens eet rauwe vis, maar vlees rauw eten, dat komt hoogstzelden voor. Rauwe achterham, zegt u, jazeker, maar die ham is dan toch eerst duchtig bewerkt.

Is vlees onmisbaar dan wel ongezond? Word je van vlees vlezig? Is het juist dat de conversie van plantaardig materiaal in vlees buitengewoon oneconomisch uitpakt? Dat laatste is inderdaad juist. Om één kilo vlees te verkrijgen moet men zo'n vijf kilo plantaardig materiaal via de maag van koe, kip of varken omzetten in voedsel. Naarmate de toch al grote toevloed van eters (want de wereldbevolking zal aan het einde van deze eeuw verdubbeld zijn) in toenemende mate vlees op zijn bord wil, zal het probleem steeds nijpender worden hoe al dat slachtvee gevoed moet worden. De verbouw van veevoer zal steeds meer landbouwgrond eisen, grond die deels onttrokken zal worden aan graanakkers, deels verkregen zal worden door tropische regenwouden te kappen. De tijden dat de varkens nog gevoed werden met datgene wat de schillenboer ophaalde, zijn definitief voorbij. Varkens in de bio-industrie worden gevoed met sojaschroot en dat schroot is grotendeels afkomstig uit Argentinië en Brazilië, waar men in razend tempo regenwoud omzet in de eentonigste habitat die denkbaar is: de eindeloze sojabonenakker.

Kon er maar, net als in geval van roken, bewezen worden dat vlees eten ongezond is. T. Colin Campbell, Ph.D., heeft in zijn boek *The China study*, vlees (en ook zuivel) weggezet als gevaarlijk kankerverwekkend voedsel, maar vooralsnog blijft hij een roepende in de woestijn. In China heeft deze biochemicus met veertien medewerkers acht jaar lang grote populaties vegetarisch levende plattelands-Chinezen vergeleken met grote populaties vleesetende Chinezen. Bij de laatsten was de kans op kanker tot vierhonderd keer zo groot als bij die arme paprika-eters. Hoe overtuigend Campbell zijn boodschap ook weet te brengen, geen vleeseter wil eraan. Campbell zelf meent dat de *beef*-lobby er alles aan doet om zijn boodschap te versluieren. Zou het daaraan liggen? Mijns inziens vindt hij veeleer weinig gehoor omdat het verband tussen rood vlees en allerlei soorten tumoren vooralsnog lang niet zo dwingend valt aan te tonen als het verband tussen roken en longkanker. Daarbij komt dat de mensheid uiterst weinig ontvankelijk is voor de sombere boodschap dat je van rood vlees kanker kunt krijgen. Vlees is van oudsher geassocieerd met status, met rijkdom, met welstand, en juist al diegenen die nu eindelijk gefortuneerd genoeg raken om zich af en toe een chateaubriand te veroorloven, zullen zich deze verworvenheid niet gemakkelijk laten ontnemen.

Campbell probeert ook aan te tonen dat je van vlees dik wordt. Dik?

Wie zich onbelemmerd met vlees voedt, krijgt zo'n typisch uiterlijk als van slager Brinkman. Die wordt stevig en vlezig, niet zozeer gezet. Althans niet zozeer vadsig. Je ziet die typische Brinkman-vlezigheid terug op schilderijen van kardinalen en monniken en andere paapse prelaten uit vroeger tijden. Uitgesproken vleeseters waren dat, met een navenant uiterlijk. Graag zou ik weten hoe groot de kans op kanker was bij al deze prelaten. Brinkman is in elk geval gestorven aan kanker, zijn vrouw eveneens, alsmede al zijn Maassluise collega's uit die tijd. Konden we maar achterhalen hoeveel groter de kans op kanker is bij slagers dan bij fruittelers. Maar dat zal niet eenvoudig zijn, want het productschap van vlees en vee zal aan zo'n onderzoek voorzeker geen medewerking verlenen.

Blijft over de vraag of je vanwege het dierenleed je biefstuk moet laten staan. Hier wil ik een even simpele als doeltreffende oplossing bepleiten voor dit morele dilemma. Iedereen die vlees wil eten, zou verplicht moeten worden zelf zijn koe, varken, kip of lammetje te doden en te slachten. Met zo'n maatregel zou je het aantal vleeseters flink reduceren.

Een principiële vegetariër ben ik niet. Rood vlees mijd ik niet zozeer omdat ik bang ben voor kanker, als wel omdat ik beducht ben voor datgene waar men koe en varken mee heeft gevoed (denk aan de BSE) en voor de groeibevorderaars waarmee men de dieren kan hebben ingespoten. In mijn dorp Warmond werden indertijd de bieflappen van een van de slagers geroemd. In 1987 heb ik mij, toen Hanneke een poosje in India was, zo af en toe eens op zo'n bieflapje getrakteerd. In diezelfde tijd dienden zich voor het eerst hartritmestoornissen aan. Later kwam ik erachter dat voornoemde slager zijn vlees betrok van Belgische dikbilkoeien. Bij deze wanstaltige dikbilkoeien, die hun kalf niet meer normaal ter wereld konden brengen – ze moesten met de keizersnede verlost worden – had men door inspuiting met clenbuterol de wanstaltigheid verder weten te optimaliseren. Hoe wanstaltiger namelijk, hoe meer vlees zo'n koe leverde. Nog weer wat later las ik dat een mens die daarvoor ontvankelijk is al van een piepklein beetje clenbuterol hevige hartritmestoornissen kan krijgen.

Ook zonder clenbuterol kan men averij oplopen. Bij het braden van vlees ontstaan vrijwel altijd heterocyclische aminen en polycyclische aromaten, uiterst giftige, uiterst kankerverwekkende verbindingen. Bij vlees dat is geroosterd op een houtskoolvuur (barbecue!), kunnen met name die aromaten in grote hoeveelheden op het vlees neerslaan. Wie huivert niet die een barbecue ziet?

Je moet dus wel van ware doodsverachting vervuld zijn, wil je nog rundvlees en varkensvlees eten. Ook hoenders komen amper nog in aanmerking als voedsel. Die zijn veelal besmet met salmonella en hebben een flitsleven achter de rug waarin zij met groeibevorderaars zo snel mogelijk tot kiloknallers zijn omgetoverd. Eens komt natuurlijk de grote dag dat het hoen met een vorstelijk vogelgriepvirus op passende wijze wraak zal nemen op de mensheid. Net zoals de aarde met enorme branden mettertijd passend wraak zal nemen voor onze alsmaar toenemende uitstoot van kooldioxide.

Het is overigens eigenaardig dat men wat dierlijke eiwitten betreft zo exclusief heeft gekozen voor een beperkt aantal hoefdieren en hoenderachtigen. Waarschijnlijk leveren de sappige achterlijfjes van bijvoorbeeld sprinkhanen en veenmollen betere eiwitten en gezondere vetten dan koeien en varkens. Sprinkhanen zijn makkelijk te kweken. Ook in het wild zijn ze soms in duizelingwekkende hoeveelheden voorhanden. En wat te denken van al die voedzame wormen? Meelwormen bijvoorbeeld vormen fantastisch voedsel. Vogels zijn er dol op. Ook die meelwormen zijn makkelijk te kweken, net als bijvoorbeeld tubifex, kleine rode wormpjes die als een wriemelende, onontwarbare kluwen uit het water gehaald kunnen worden. Tubifex stelt weinig eisen, kan gekweekt worden in zuurstofarm water. Ook zeepieren en muggenlarven zouden superieur voedsel kunnen vormen. Dat we, enkele nog wat ouderwets levende bosjesmannen en indianenstammen niet te na gesproken, geen insecten eten en kweken, lijkt tamelijk onbegrijpelijk, gelet op het feit dat onze naaste verwanten, de chimpansees en bonobo's, zich onder meer voeden met mieren en termieten.

Voorts zouden wij onze honger ook heel goed kunnen stillen met knaagdieren zoals ratten, muizen, cavia's, marmotten, woestijnmuizen, eekhoorns, *Murmeltiere*, goffers, hamsters, *chipmunks*, chinchilla's, capibara's. Overal zijn ze reeds in miljoenen aantallen voorhanden. Bovendien laten de meeste knaagdiersoorten zich makkelijk domesticeren en zijn ze idioot eenvoudig te kweken. Een rat eet alles wat niet terugbijt, dus zijn voedselvoorziening hoeft nooit een probleem te zijn. Het grootste knaagdier, de capibara, die in het Amazonegebied leeft op de grens van land en water, zouden wij moeiteloos bij duizenden op de schorren en slikken van de Zeeuwse stromen kunnen kweken. Erg smakelijk is het vlees van de capibara niet, maar dat geldt ook voor het vlees van varkens uit de bio-industrie. Daar zit zelfs helemaal geen smaak meer aan.

In die roemruchte jaren vijftig waarin ik opgroeide, hielden in Maassluis de arme sloebers in de zogenaamde konijnenbuurt achter op de plaatsjes van hun arbeiderswoninkjes overal Hollandertjes, Lotharingers en Vlaamse reuzen. In de avondschemering gingen ze eropuit om paardensla voor deze eiwitbronnen te snijden. Zelf heb ik, voor Witje en Bruintje, twee kwieke Lotharingers, ook heel wat paardensla en weegbree bemachtigd op de dijkhellingen. Toen Witje echter door mijn vader werd geslacht en met kerst werd opgediend, kon ik er geen hap van door mijn keel krijgen. 'O, o, wat een grote tranen,' zegt mijn moeder als ze tussen twee psalmen door herinneringen ophaalt aan lang vervlogen tijden, 'ik zie ze nog maar steeds over je wangen omlaag biggelen, ik geloof niet dat ik ooit grotere tranen heb gezien, en ik hoor je vader nog zeggen: "Ik zal je een hijs voor je hersens geven, dan weet je tenminste waarom je huilt." '

Corpulentie

Volgens Louise Fresco, voormalig adjunct-directeur-generaal van wereldvoedselorganisatie FAO, 'zijn onze lichamen door duizenden jaren van schaarste voorgeprogrammeerd om juist de verkeerde dingen te eten. Hoe vetter en zoeter, hoe lekkerder we het vinden.' Haar boodschap: we zijn steeds meer gaan eten en steeds minder gaan bewegen. We staan aan de vooravond van een voedselcrisis. 'Niet vanwege een tekort aan voedsel, zoals vroeger altijd het geval was, maar vanwege een overschot.'

Als een refrein keert deze boodschap – 'vroeger' (om welk vroeger het gaat wordt niet gespecificeerd) was er steevast een tekort aan voedsel – terug in de dieetwijzers en afslankboeken. In *Het South Beach Dieet* zegt arts Arthur Agatston: 'Ooit leed de mens honger, en de overvloed die de westerse wereld nu ervaart vertaalt zich direct in de hoeveelheid op onze etensborden.'

In een alleraardigst boekje, *De afslankmythe*, zegt Tatjana van Strien: 'Helaas zijn de mechanismen om een zwaarder geworden lichaam op het meer gezonde oude gewicht terug te brengen, minder sterk, vermoedelijk omdat overgewicht in de strijd om het bestaan tijdens de evolutie van de mens vroeger nooit een probleem is geweest.'

Vroeger heerste schaarste, tegenwoordig heerst overvloed. Blijkens een kort interview van 31 juli 2007 in NRC *Handelsblad* wordt de geschiedenis van de mens volgens de hoogleraar voeding en levensmiddelen in Wageningen, Gertjan Schaafsma, gekenmerkt door voedselschaarste. 'Pas bij de introductie van landbouw (tussen de acht- en tienduizend jaar geleden) werd het opslaan van voedsel mogelijk. Daarvoor kwam overgewicht misschien in zeer sporadische gevallen voor.' Genetisch aangepast als we in de loop der evolutie aan die schaarste zijn, kan ons lichaam niet zo snel anticiperen op die omschakeling. Gevolg: uitdijend, alomtegenwoordig overgewicht, zelfs bij kinderen.

Het lijkt een aantrekkelijke hypothese waar weinig tegen in te brengen valt. Ware het niet dat er op de mythe 'Vroeger was er altijd een tekort aan voedsel' veel valt af te dingen. Zeker, in onze geschiedenis hebben wij tijden van hongersnood gekend, maar nooit lang, en de grote hongersnoden in Afrika zijn juist van recenter datum. Zo was Zimbabwe altijd de graanschuur van Afrika, maar het wanbeleid van Mugabe heeft daar een einde aan gemaakt. Terecht zegt Lucas Reijnders in zijn boek *Eetpatronen*: 'Of zware honger aanvankelijk onder mensen veel voorkwam, is de vraag. Naaste verwanten, de mensapen, hebben in hun natuurlijke setting meestal weinig problemen met de voedselvoorziening.'

Over ons verre verleden van voor die introductie van landbouw zijn we niet geïnformeerd. Geschreven bronnen ontbreken. Wij weten domweg niet of er toen sprake kan zijn geweest van voedselschaarste. Bij jagersgemeenschappen op Nieuw-Guinea en in het Amazonegebied die thans nog in primitieve omstandigheden leven, is dat echter niet het geval, zomin als bij onze naaste verwanten, de mensapen. Wel denk ik dat overgewicht nauwelijks voorkwam. De meeste mensen werden niet oud genoeg om dik te kunnen worden. Bovendien had iedereen wormen, een effectief middel tegen obesitas.

In de oudste geschriften vind je doorgaans hongersnoodleed, bijvoorbeeld in de Bijbel, waar ons in Genesis in schrille kleuren de zeven magere jaren ten tijde van onderkoning Jozef geschetst worden. Maar juist uit het feit dat die zeven magere jaren zo prominent behandeld worden, kun je opmaken dat zich hier iets uitzonderlijks voordeed. Ook later, als David koning is, heerst er soms hongersnood, maar meestal is er sprake van vette jaren, van overvloed, en van allerhande kleinvee dat en masse over de kling wordt gejaagd, en vervolgens wordt opgepeuzeld. Het beloofde land 'vloeide over van melk en honing'. Niet direct producten waar de mens behoefte aan heeft, maar op schaarste duidt deze aanbeveling niet. Aan copieuze maaltijden is in de Bijbel derhalve geen gebrek. Als God bij Abraham op bezoek is, wordt Hij onthaald op pannenkoeken en een kalf 'teder en goed' en ruim melk en boter (wat overigens hoogst merkwaardig is, want die combinatie van zuivel en kalfsvlees is namelijk niet kosjer!)

Al wordt er in de Schrift meestal voortreffelijk en overvloedig gegeten, er wordt zelden gerept over corpulentie. Slechts van de koning der Moabieten, Eglon genaamd, wordt ons in Richteren 3 verteld dat hij zeer zwaarlijvig was. Ik denk dat ons dat detail alleen wordt meegedeeld omdat wij anders niet zouden kunnen begrijpen waarom richter Ehud een zwaard van een el lang met 'twee scherpten' nodig had om Eglon te vermoorden. Toen Ehud het zwaard in Eglon stak, deed hij dat zodanig dat het vet zich om het lemmer toesloot (zo dik was de koning!) en 'de drek uitging'. Eindelijk vermag de koning te poepen, maar ja, dan is het te laat! Ehud laat het moordwapen zitten. Waarschijnlijk omdat hij het er niet meer uit kon halen.

In het Nieuwe Testament is nimmer sprake van schaarste, terwijl de joden toen toch onder Romeinse overheersing leefden. Bij de Romeinen zelf was, althans waar het de patriciërs betrof, sprake van een overvloed waar wij ons thans nauwelijks een voorstelling van kunnen maken. 'De patriciërs,' aldus Mark Kurlansky in zijn boek *Zout*, 'hadden een uitgebreide keuken met een overvloed aan ingrediënten en een weelderig ingerichte dis.' En al moesten de plebejers het in die tijd doen met grof brood, zemelen, vis en olijven, je krijgt niet de indruk dat ze honger leden. Ze leden onder het gebod dat de patriciers voor hen hadden uitgevaardigd: de maaltijd mocht slechts uit één gang bestaan. Van de patriciërs zijn ons vele beschrijvingen overgeleverd van rijke maaltijden met dubbele gangen vis (ze aten van die heerlijke roze mulletjes die je zo vaak op de vismarkt ziet liggen, maar die ik nooit aanschaf omdat ik er geen enkel vertrouwen in heb dat ze op een fatsoenlijke wijze zijn gevangen) en dubbele gangen wildbraad, en wat niet al nog tussendoor, het geheel besproeid met uitgelezen wijnen.

Door de hele Middeleeuwen heen hebben althans de betere standen altijd ruim kunnen eten. Je slaat er steil van achterover wat er in met name kloosters in de loop der eeuwen geconsumeerd is. Die kloosterlingen leidden overigens, onophoudelijk copieus dinerend, een zittend leven, en het gevolg daarvan was dat hun beendergestel vergroeiingen vertoonde en hun kraakbeen verbeende. Ook toen moet er, zeker in kloosters, in ruime mate sprake zijn geweest van overgewicht. Je ziet het trouwens ook op al die schilderijen. Vlezige, welgedane, pafferige tronies, maar het wijde habijt verhult het embonpoint. Op de schilderijen van Rubens ontwaren wij vrouwen die hun weelderige vormen moeilijk aan die alomtegenwoordige schaarste van vroeger te danken kunnen hebben gehad. Of zou Rubens op corpulente vrouwen zijn gevallen en magere modellen volslank hebben afgebeeld?

In het prachtwerk *De corpulentie, hare oorzaken, hare gevolgen en de verschillende wijzen waarop zij wordt bestreden*, 'populair beschreven door dr. Oscar Maas, in het Nederlandsch overgebracht door A. Arn. J. Quanjer, officier van gezondheid', zegt deze doctor: 'Men zal wel niet ver van de waarheid zijn als men beweert dat de corpulentie zo oud is als de maatschappij zelf of tenminste zo oud als de menselijke beschaving.' Mij lijkt dat een veel reëlere veronderstelling dan de hedendaagse veronderstelling van Fresco en Schaafsma: vroeger schaarste, dus magere mensen, tegenwoordig overvloed, dus overgewicht. Het boekwerk van Maas, waarvan de vertaling in 1885 te Gouda verscheen, was een Duitse bestseller. Het was al twintigmaal herdrukt. Daaruit kan men opmaken dat zwaarlijvigheid in ieder geval ook toen een groot probleem was. Het boek bevat een beschrijving van de wijze waarop professor Schweninger 'vorst' Bismarck van zijn corpulentie had afgeholpen. Schweninger baseerde zich weer op een methode van professor Oertel te München.

Kortom, overal hielden hoogleraren zich onledig met de bestudering en bestrijding van corpulentie. Het embonpoint was reeds toen bij oudere mannen uit de betere standen endemisch. Iemand als Johannes Brahms, die zo gezet was geworden dat hij niet meer met zijn handen vlak bij elkaar piano kon spelen (daarom is volgens sommige musicologen in zijn pianomuziek de afstand tussen noten uit de bas- en discant vaak zo groot), lijkt representatief voor veel van dit type corpulente heren. In mijn werkkamer hangt een foto van Tsjechische componisten uit de negentiende eeuw. Twaalf vetzakken staan erop, met de vervaarlijk ogende Fibich als de dikste van allen, op de voet gevolgd door de ook al zo corpulente Dvořák. Overigens wordt ons zelfs over Domenico Scarlatti al meegedeeld dat hij op het eind van zijn leven zeer dik was geworden. Bach zal trouwens ook niet mager zijn geweest. Wat hij zoal her en der verzwolg tijdens missies waarbij hij orgels keurde, is ons dankzij bewaard gebleven rekeningen overgeleverd en liegt er niet om. Dat waren maaltijden waar zelfs ik voor zou terugschrikken. Ook Beethoven was een kleine, corpulente man. Foto's van de oude Rossini tonen een wanstaltige dikzak. En waarschijnlijk is er nooit een corpulenter componist geweest dan de onvergetelijke geweldenaar Max Reger, die, voorafgaand aan een concert in Amsterdam, de obers in de Poort van Kleve altijd weer verbaasde door nog een reuzenbiefstuk te bestellen als hij er al een had verzwolgen. En passant dronk hij dan ook nog een vat bier leeg.

Maas wijst erop dat Shakespeare herhaaldelijk de corpulentie aan de kaak stelt (in de persoon van Falstaff, en in het eerste bedrijf, tweede toneel van *Julius Caesar*). Ook haalt hij een prachtaforisme aan van Lichtenberg: 'Er zijn mensen wier gezicht zo vet is dat zij onder hun spek lachen kunnen, zonder dat de grootste gelaatskunstenaar er iets van gewaar wordt.'

Zo'n prachtroman als *Stopfkuchen* van Wilhelm Raabe, over een zeer dik geworden, maar juist daardoor zeer gemoedelijke levenskunstenaar, lijkt representatief voor het Duitsland van de tweede helft van de negentiende eeuw. Men kon, waar zovelen zwaarlijvig waren, toen best een roman gebruiken waarin de dikzak een goedzak blijkt te zijn.

Tegenwoordig zou er ongetwijfeld ook een markt voor zijn. Mij dunkt dat Adri van der Heijden, die reeds een van de allermooiste naoorlogse romans over een alcoholicus schreef (*Advocaat van de hanen*), hierover ook een superieure roman zou kunnen schrijven.

Behalve doctor Maas publiceerde ook professor doctor Ludwig Sternheim uit Hannover een bestseller over zwaarlijvigheid die onder de titel *Betrouwbare en onschadelijke bestrijding der corpulentie* 'door den schrijver speciaal voor Holland werd bewerkt naar den 20sten Duitschen druk'. Een verrukkelijk boekwerk, waarin de schrijver eerst uitlegt wat je moet eten om dik te worden, en vervolgens zegt: 'Wil je niet dik worden, dan moet je dit dieet juist niet volgen.' Sternheim acht overigens ook een genetische aanleg verantwoordelijk voor zwaarlijvigheid: 'Wie in zijn familie voorbeelden van vetzucht heeft, moet vroeg beginnen het kwaad te voorkomen.'

Niet alleen in Duitse, maar ook in Engelse romans uit die tijd struikel je over de dikke mensen. Denk alleen al aan Dickens, aan Tony Weller uit de *Pickwick Papers* en Sarah Gamp uit *Martin Chuzzlewit*, en de befaamde Fat Boy uit de *Pickwick Papers*. (Kinderen met overgewicht had je toen ook al. Trouwens, de populairste kinderheld uit de Nederlandse jeugdliteratuur is Dik Trom.) Spectaculaire maaltijden worden in de romans uit die tijd beschreven. Duizelingwekkend is ook de bruiloftsmaaltijd die ons in *Don Quichot* wordt voorgeschoteld.

*

De hazensoep van Walter Scott

In romans en verhalen wordt zo verbazend veel genuttigd dat Yvo Pannekoek terecht in zijn Memoires *schrijft: 'Merkwaardig is, hoe ondraaglijk veel er in boeken gegeten wordt. Voor gevangenen moest er lectuur bestaan waar deze indecente beschrijvingen niet in voorkwamen, het tegendeel, een soort culinaire pornografie, zou dan ook wel ontstaan, denk ik.'*

Zulke culinaire pornografie bestaat er inmiddels. Sla de romans op van Connie Palmen en je stuit op de ene na de andere beschrijving van een maaltijd. Bij Renate Dorrestein is het zelfs nog erger; die wordt geobsedeerd door voedsel. Ook bij Ann Tyler vind je bladzijden vol culinaire pornografie.

Toch worden deze dames nog ruimschoots overtroffen door Walter Scott. In diens romans worden reusachtige maaltijden beschreven, een formidabel ontbijt in Old Mortality, *een kolossaal diner in* Peveril of the Peak, *een begrafenismaaltijd waarbij honderden rouwenden aanzitten in* The Fair Maid of Perth. *Walter Scott geeft in zijn romans ook een enkele keer een recept. Helaas zijn het geen vegetarische recepten, maar voor degenen die er geen bezwaar tegen hebben om haas te eten (denk erom, zelf schieten of vangen en slachten, anders mag het niet), hier het recept van zijn onovertroffen hazensoep.*

Men neme hazenvoorpootjes, liefst twee per persoon. Die laat men in juist genoeg water om ze onder te doen staan enige uren sudderen op een laag pitje. Dan voege men daar ontvelde tomaten, een gesnipperd uitje en een paar teentjes knoflook aan toe. Men kruide het geheel met tijm en met vossenbessen. Men voege er nog een bouillonblokje aan toe en in blokjes gesneden winterwortel, alsmede in ringen gesneden prei. Het geheel nog een uurtje zacht laten stoven op een laag pitje en je hebt een vorstelijk soepje. Zo smakelijk dat hij niet past in het dovemansorendieet, maar dik zul je er niet van worden.

*

In het *Cornhill Magazine* van mei 1863 verscheen een artikel over corpulentie, en dat inspireerde William Banting tot het schrijven van zijn *Letter on corpulence*, die nog in hetzelfde jaar verscheen, een brief die geweldig veel weerklank kreeg. Daaruit kan men opmaken dat zwaarlijvigheid destijds ook in Engeland een groot probleem was. Banting was notabene begrafenisondernemer, dus niet eens van de *upper middle class* of zelfs *lower middle class*, en toch ook volgens zijn eigen normen veel te zwaar (op zijn zesenzestigste was hij 1 meter 65 meter lang, en woog hij 91,5 kilo). Zo groot was de componist Johan Svendsen ook, maar die woog ruim 110 kilo, dus Banting was niet eens zo heel zwaarlijvig.

Mij lijkt het waarschijnlijk dat overgewicht in de tweede helft van de negentiende eeuw in Europa onder de betere standen net zo'n groot probleem was als thans onder alle standen. Toen konden slechts de rijken zich volproppen, thans proppen ook de nazaten van de toenmalige armen zich vol. In voorbije eeuwen was er geen schaarste aan voedsel, maar bij grote bevolkingsgroepen schaarste aan geld om voedsel te kopen. Akoord, het blijft gissen, want zwaarlijvigheidscijfers uit de negentiende eeuw ontbreken, maar die ontbreken ook uit alle andere tijden, dus niets valt er met zekerheid te zeggen over embonpoint door de eeuwen heen. Wat we echter wel zeker weten, is dat verbazend veel mensen, net als trouwens alle diersoorten, tot voor kort geïnfecteerd waren met allerhande parasieten. En als je een flinke lint- of spoelworm hebt, hoef je echt niet bang te zijn dat je aankomt. Toen de componist Puccini verlost werd van zijn lintworm, klom zijn gewicht prompt tot

93 kilo. Rond 1900 kon je je nog een leuke lintworm laten aanmeten als je corpulent was. Niets pleit er trouwens tegen om zwaarlijvigheid ook nu nog met wormen te lijf te gaan.

Moeten wij de schaarste waarover de hoogleraren Fresco en Schaafsma reppen, dan nog veel vroeger situeren, bijvoorbeeld in de jeugd der mensheid? 'Onze lijven worden te dik,' aldus Brenda Scholten, 'omdat ons concept is gebaseerd op een werkelijkheid waarin we over de velden holden om eens lekker een partijtje te jagen.' Maar wat weten wij eigenlijk over die eonen waarin de mens, nog niet in staat iets op te tekenen, leefde van noten en knollen en vruchten, en van wat de jacht opleverde? Of misschien leefde de mens niet van jachtbuit, maar van alles wat de brandingsgolven in de getijdenzones op de stranden deponeerden. Vandaar bijvoorbeeld dat we oesters nog steeds als een ultieme lekkernij ervaren. Toen schaarste? We hebben er geen flauw idee van. Zodra het schrift was uitgevonden en er sprake was van opgetekende geschiedenis, hongerde de mensheid in tijden van oorlog, en helaas, oorlog deed zich akelig vaak voor, maar die honger was een gevolg van krijgsverrichtingen, niet het gevolg van een algemene schaarste die zich overal manifesteerde. Mij lijkt dat idee van vroegere schaarste versus huidige overvloed domweg een simplificerende mythe te zijn. Wat voedsel betreft is er waarschijnlijk altijd al sprake geweest van overvloed, mits je maar geld had.

Eveneens mythe is volgens mij een andere uitspraak van Schaafsma: 'Vroeger was overgewicht het vermogen je te beschermen in tijden van hongersnood. Die periodes zorgden voor een natuurlijk selectieproces waarbij dikke mensen de hoogste overlevingskans hadden.' Dat lijkt op voorhand een plausibele gedachte, maar waar zijn de cijfers waarmee Schaafsma deze vooronderstelling aannemelijk kan maken? Is er ooit enig onderzoek gedaan waaruit is gebleken dat zwaarlijvigen hongersnood beter doorstaan? Hadden dikzakken in de Duitse concentratiekampen betere overlevingskansen? Nooit heb ik in een boek over die kampen daar iets over aangetroffen. Mij dunkt, deze hypothese van Schaafsma is vooralsnog onbewezen.

Nog zo'n mythe is het idee dat we tegenwoordig steeds minder bewegen, terwijl men 'vroeger' zelden lange tijd stilzat. Nergens vond ik die mythe welsprekender verwoord dan in het boekje *Hapklare gezondheid* van Rob Sijmons: 'Gemiddeld zijn we een meer zittend leven gaan leiden. We verplaatsen ons met de auto, de lift, de roltrap en zelfs het rollend trottoir. Het toppunt van het moderne leven is de telewerker die via internet met de hele wereld contact heeft terwijl hij niet meer achter het thuisbureau vandaan komt. Hele doemfilosofieën kun je daarop bouwen, over een volk van vervettende en vastroestende lijven die bijna wortel schieten achter hun beeldschermen.' Even daarvoor heeft Sijmons beweerd: 'Gek genoeg zijn Nederlanders de afgelopen decennia niet meer gaan eten. We werden dus niet dikker door meer te eten, maar door ons minder lichamelijk in te spannen.'

Vrij klakkeloos wordt hier beweerd dat vervetting simpelweg het gevolg is van bewegingsafname. En dat van een man die allerlei gezondheidsclaims van diverse soorten voedsel uiterst kritisch tegen het licht houdt en ze allemaal verwerpt, behalve in het geval van vis.

Je moet verbazend veel bewegen om een weinig vet te verbranden, zodat een eventuele afname ervan (maar waar zijn de precieze cijfers?) nooit kan verklaren waarom vetzucht plotseling epidemische vormen lijkt aan te nemen. Alsof men 'vroeger' zoveel bewoog! In de negentiende eeuw bewogen de hogere standen al helemaal niet. In het type kleren dat vrouwen toen droegen kon je hoogstens schrijden. Van sport was godlof nog geen sprake, dat is een recente waanzinaria. Wie 'deftig' was en het betalen kon, liet een koets voorkomen. Huishoudelijk werk werd verricht door dienstmeisjes. Zelfs in mijn jeugd zag je die echte notabelen, burgemeesters, notarissen, tandartsen, scheepswerfdirecteuren en hun echtgenotes nimmer op straat. Die wandelden niet, die fietsten niet, die deden niet aan sport, die lieten zich vervoeren in auto's. De kanseltrap op en af, ziedaar zo'n beetje de enige lichaamsbeweging van negentiende-eeuwse hervormde dominees die op het platteland, wonend in de 'voedzame pastorie', zoals het zo mooi heet in *Stopfkuchen* van Wilhelm Raabe, door hun gemeenteleden onophoudelijk werden vertroeteld met eieren, boter en kaas. Niettemin werden juist die corpulente dominees, hoe vaak ze ook in hun preken memoreerden dat het een voorrecht is om jong bij God te mogen zijn, gemiddeld ouder dan al hun gemeenteleden.

Toch waren al die negentiende-eeuwers niet allemaal zwaarlijvig, terwijl ik nu onophoudelijk, als ik van Leiden naar Warmond fiets, van die puffende, akelig vette oude joggers inhaal, en ik, vlak voor ik het dorp in fiets, uit het fitnesscentrum van de Pro Life Factory steevast dames naar buiten zie wankelen die op een schilderij van Rubens niet uit de toon zouden vallen. Het valt me altijd weer op dat juist uit sportcentra de wanstaltigste lijven opduiken.

We moeten ook niet over het hoofd zien dat je in bed en achter je computer ook calorieën verbruikt. Plus dat je heel beweeglijke nerveuze mensen hebt, die zelfs in bed en achter het beeldscherm onophoudelijk hun vingers bewegen, met hun voeten trommelen, hun hoofd heen en weer wiegen (ik ben zelf zo iemand, ik heb mijn hele leven verlezen, maar als ik lees zit ik geen ogenblik stil), en inerte mensen, die met een minimum aan beweging door het leven gaan.

De 'verklaring' voor de hedendaagse epidemische zwaarlijvigheid – overvloed versus schaarste, vroeger de trap, nu de lift – lijkt mij veel te kort door de bocht. En daardoor acht ik haar ook schadelijk. Ze verduistert het zicht op mogelijke andere oorzaken van het huidige overgewicht. Lift noch overvloed lijken mij de oorzaak te zijn, maar veeleer en vooral die krankzinnige drankzucht die de hedendaagse mens bevangen heeft, waardoor er, los nog van de aanbevolen zes tot acht glazen water per dag (bespottelijk!), sprake is van een ongebreidelde consumptie van radioactieve Spawateren, suikerhoudende frisdranken en 'light' frisdranken boordevol griezelig chemisch afval en zoetstoffen waarvan we nog nauwelijks de langetermijneffecten kennen. Onderzoek lijkt hier dringend gewenst, maar waar is dat onderzoek? Tik je de trefwoorden 'vetzucht', 'corpulentie', 'zwaarlijvigheid' in bij de Leidse Universiteitsbibliotheek, dan kom je uitzonderlijk weinig literatuur op het spoor, hoogstens een enkel proefschrift van een halve eeuw oud zoals *Experimentele vetzucht* van Lodewijk Marius van Putten uit 1952. En een recent proefschrift van Niels Boon, *Dietary calcium and body weight regulation* (2007). Daarin staat de verbazingwekkende constatering dat de opname van magere zuivelproducten gewichtsverlies bevordert in een hypocalorische voeding. Met andere woorden: van halfvolle melk val je af. Zou het kunnen zijn dat Niels Boon een beetje gesponsord werd door de zuivelindustrie? En kan het hem ontgaan zijn dat zijn achternaam terecht een ander afslankmiddel propageert dan zuivel?

Het enige grootschalige experiment in de twintigste eeuw waar we weet van hebben, is de Tweede Wereldoorlog. Toen is weliswaar ruimschoots gebleken dat er een rechtstreeks verband is tussen nijpende voedselschaarste en gewichtsafname, maar of corpulentie in die kampen een voordeel was – zelfs daarover zijn we niet geïnformeerd.

Paradoxale parabolen

Bij vrijwel al mijn studievrienden en mijn jaargenoten heb ik mogen aanschouwen dat ze toen ze afstudeerden en een goedbetaalde baan kregen, hun levenspatroon veranderden. Ze haalden hun rijbewijs, ze schaften van hun schamele medewerkerssalaris een low budget auto aan, een koekblik (Renault 4) of een lelijke eend, ze huwden, ze kochten een huis met een torenhoge hypotheek en een tuin, ze gingen zich te buiten aan likeuren, Drambuie en Cointreau en Cachaça bijvoorbeeld, en soms zelfs aan van die griezeldrankjes met een insectenlarve onder in de fles, en ze organiseerden zomeravondfeestjes waarbij grote lappen vlees en kippenvleugeltjes en worstjes op roosters gelegd werden waaronder kooltjes gloeiden. In hun koekblikken en eenden doorkruisten ze heel Europa, overal de lokale keuken bestuderend, maar nergens maakten ze lange wandelingen. Vrij snel begonnen ze uit te dijen, zag je ze pafferiger worden. Ze bewogen en spraken al iets bedachtzamer, en bij haast al mijn aanvallige jaargenotes vervloog in adembenemend tempo hun prille schoonheid. Zelfs bij spichtige elfjes ontloken welvingen en rondingen die er aanvankelijk niet onaantrekkelijk uitzagen; opvallend snel transformeerden ze echter, terwijl ze hun lange haren afknipten, tot gevulde leraressen en laborantes. Een en ander kreeg nog sneller zijn beslag als die jaargenotes en elfjes zich voortplantten. De paradox van een bevalling is dat je opeens minstens drie kilo kwijtraakt, maar uiteindelijk toch fors aankomt.

Bij mijn opbollende jaargenoten en jaargenotes kwamen die processen, ofschoon de larvendrankjes noch de barbecues werden uitgebannen, na een fors aantal jaren geleidelijk tot stilstand. Ze waren vrijwel zonder enige uitzondering gezetter geworden, sommigen waren zelfs ronduit vadsig te noemen, maar nog vadsiger werden ze niet, een enkele uitzondering daargelaten. Bij anderen zag je zelfs enige gewichtsafname, maar de meesten behielden het zo rond hun veertigste verworven model, waarbij ze overigens van jaar tot jaar wel steeds ietsje dikker werden, maar lang niet zo snel meer als tussen hun twintigste en veertigste levensjaar. Blijkbaar waren ze allemaal uiteindelijk toegegroeid naar een fase van oprekbare homeostase. Bij hun likeurleefstijl hoorde blijkbaar juist deze mate van vadsigheid.

Het is moeilijk voorstelbaar hoe een vadsig lijf van veertig jaar al die likeurtjes, liflafjes en lekkernijen onschadelijk kan maken zonder dat het nog verder opgerekt wordt. Blijkbaar heeft de stofwisseling zich aangepast, maar hoe heeft dat zijn beslag gekregen? Dat ons lichaam als alle vetdepots gevuld zijn het vertikt om nog meer vet op te nemen, ligt enigszins voor de hand, maar als er desondanks een net iets te grote toevoer is van koolhydraten en suikers, waar blijft dan het glycogeen dat daaruit onder invloed van insuline gevormd wordt? Zou de stofwisseling een tandje bijzetten? Onwaarschijnlijk. Eerder verwacht je het omgekeerde. Je zou denken: hoe ouder een lijf, hoe makkelijker het vadsig wordt. Alle processen verlopen wat trager, dus de verbranding staat op een lagere pit afgesteld.

Wie verschaft ons inzicht ten aanzien van gewichtstoename? Je kunt honderden boeken raadplegen over de meest uiteenlopende diëten en over wel zeer verschillende manieren waarop je moet afvallen, maar waar vind je een boek over aankomen? Wie wil afvallen, zou er toch erg bij gebaat zijn te weten hoe hij of zij al die overtollige kilo's heeft verworven. Heb je er geen flauw benul van hoe je ergens gekomen bent, dan is de weg terug een zware opgave. Desondanks leert de ervaring: geen enkele dikzak kan je precies vertellen hoe zijn gewichtstoename haar beslag kreeg. 'Het ging zo ongemerkt en geleidelijk, opeens was ik tien kilo aangekomen.' In hun hilarische boek *Het drukke-damesdieet* vragen de dames Knight en Thomas zich vertwijfeld af: 'Hoe zijn we in vredesnaam zo verdomde dik geworden?' Ze geven een globaal antwoord, maar hoe de feitelijke gewichtstoename verliep, vermogen zij niet te onthullen.

Aangezien we keiharde gegevens over gewichtstoename ontberen, moet ik mij, hoezeer me dat ook tegenstaat, wel op het hellende vlak van de speculatie begeven. Zelf heb ik wel enig onderzoek gedaan met mijn twee bokken, maar dat heeft geen ander resultaat opgeleverd dan dat ik mij nog meer ben gaan verbazen over het feit dat er bij het optimale gewicht van een organisme blijkbaar sprake is van homeostase. Zet je een bok in een weitje, dan eet hij enige tijd, vlijt zich vervolgens neer en begint te herkauwen. Verzet je hem echter telkens, dan blijft hij, vanwege het feit dat er weer nieuwe lekkere hapjes zijn opgedoemd, steeds maar dooreten. Je kunt hem minstens tien keer zoveel laten eten als hij normaal gewend is, zoveel zelfs dat hij, als je hem 's avonds naar zijn stalletje brengt, amper nog kan lopen. Dat kun je bijvoorbeeld een week lang of zelfs een maand lang volhouden en dan kun je kijken of hij is aangekomen. Wat nu zo eigenaardig is: hoeveel je er ook in weet te krijgen, zo'n bok komt geen spat aan, hoe lang je het experiment ook volhoudt. Een groot probleem bij dit experiment is overigens dat het lastig is om te meten hoeveel een bok weegt. Je krijgt hem niet op een weegschaal. Je moet hem dus in je armen nemen en samen met hem op een weegschaal gaan staan. Dat vergt reuzenkrachten, want zo'n bok stribbelt tegen. Enfin, ik ben sterk genoeg om zo'n bok even in de houdgreep te nemen, dus wegen lukt, maar het levert gek genoeg niets op. Wat zo'n bok ook eet, hij blijft haarscherp op gewicht. Hoe kan dat? Hoe blijft hij op gewicht? Poept hij meer? Verbrandt hij meer? Welk cybernetisch regelmechanisme is verantwoordelijk voor deze kennelijke homeostase?

Als een organisme wel aankomt, zijn er volgens mij drie duidelijk te onderscheiden mogelijkheden. Je komt rechtlijnig, hyperbolisch of parabolisch aan. In het eerste geval krijg je als je de leeftijd uitzet tegen het lichaamsgewicht een rechte lijn. Je eet constant een vaste hoeveelheid te veel en dat teveel vertaalt zich rechtstreeks in een constante gewichtstoename. Elk jaar komt er bijvoorbeeld een kilo bij.

Kom je hyperbolisch aan, dan ziet de grafiek eruit als een kromme die geleidelijk aan steeds verticaler wordt. Ook dan zou er sprake kunnen zijn van een vaste hoeveelheid die je te veel eet, maar omdat je steeds dikker wordt, valt het je steeds zwaarder om te bewegen, of je stofwisseling zelf werkt trager en daardoor zou je dan steeds sneller aan kunnen komen. Professor doctor Ludwig Sternheim uit Hannover zegt in zijn boek over corpulentie: 'Want als de vetafzetting eenmaal begonnen is, vermeerdert ze zich als een lawine.' Klopt deze poëtische beschrijving, dan zou er inderdaad sprake zijn van een hyperbolische gewichtstoename.

Kom je parabolisch aan, dan gaat het in het begin hard, maar geleidelijk wordt het minder. De eerste tien kilo heb je er in vijf jaar bij, over de volgende tien kilo doe je bijvoorbeeld tien jaar. Bij rechtlijnige of hyperbolische gewichtstoename hoef je je niet het hoofd te breken over de vraag hoe het komt dat je steeds gezetter wordt als je te veel eet. Dat is namelijk vrij logisch. Maar bij parabolische gewichtstoename heb je een probleem. In dat geval zou het lichaam, uitgaande van een teveel aan voedsel dat elke dag hetzelfde blijft, zich aanpassen aan die gewichtstoename, daar een mechanisme tegenover stellend dat die gewichtstoename vertraagt. Meer vet kan het lichaam domweg niet opslaan, de depots zijn vol, dus wordt er korte metten mee gemaakt. Je stofwisseling heeft zich aangepast en je lichaam verbrandt het vet dat het niet kan opslaan. Of het wordt simpelweg afgevoerd. Maar ja, dat

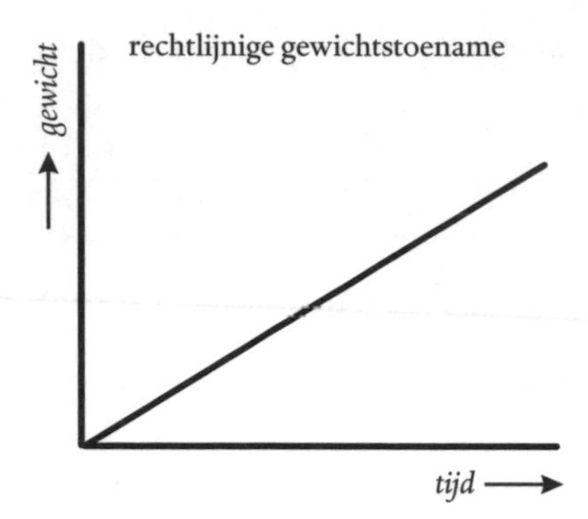
rechtlijnige gewichtstoename
gewicht
tijd

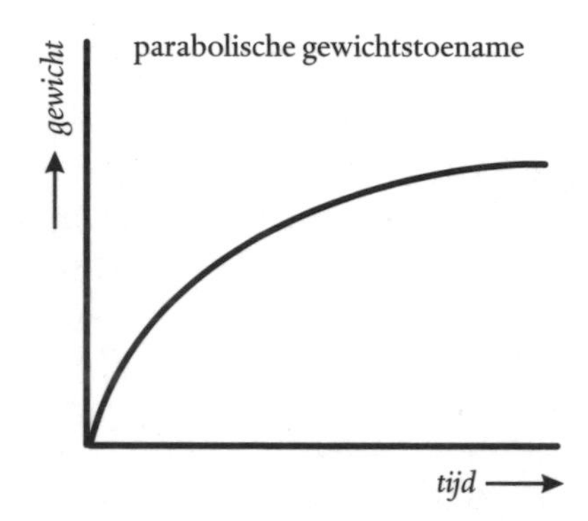
parabolische gewichtstoename
gewicht
tijd

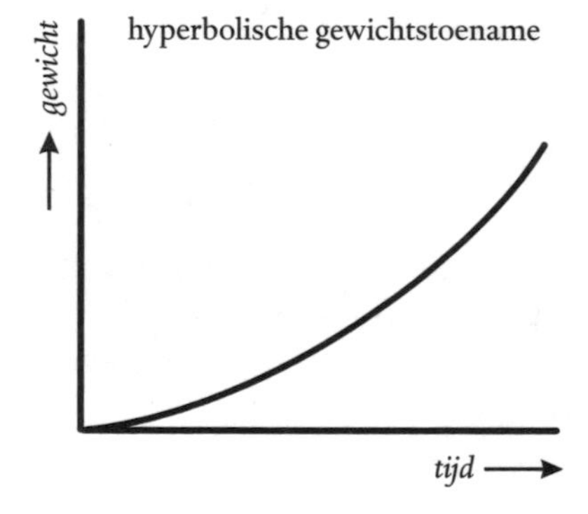
hyperbolische gewichtstoename
gewicht
tijd

vergt de aanname dat het metabolisme van het lichaam op hogere leeftijd een tandje bijzet, en dat lijkt mij zo onwaarschijnlijk. Toch leert de ervaring dat de meeste mensen parabolisch vervetten. Iemand als Adri van der Heijden, bij wie de vervetting inderdaad haar beslag krijgt als een Sternheimse lawine, kom je maar zelden tegen. Merkwaardig trouwens dat bij Van der Heijden ook de romans steeds dikker worden.

Kijk je naar de drie verschillende grafieken, dan zie je terstond dat je bij hyperbolische gewichtstoename een steeds duidelijker stijgende lijn moet ombuigen in een lijn omlaag. Bij rechtlijnige gewichtstoename moet je een constant stijgende lijn een knik omlaag laten maken, bij parabolische gewichtstoename moet je een horizontale lijn een duwtje geven zodat hij zachtjes weer omlaag buigt. Het is duidelijk dat het makkelijker is een rechte lijn te laten dalen dan een stijgende lijn, en een constant stijgende lijn buig je makkelijker om dan een lijn die steeds steiler omhoog schiet. Wie parabolisch dik is geworden, valt dus het gemakkelijkst weer af. Met dien verstande overigens dat het er bij parabolische gewichtstoename toch op lijkt dat het lijf naar een zogenaamde sollwert toewerkt, een streefgewicht dat past bij deze constitutie. Als dat het geval is, zijn er waarschijnlijk cybernetische mechanismen om die sollwert te handhaven, waardoor het ook knap lastig zal blijken om terug te keren tot een lagere sollwert. Van de hyperbolische dikkerd wordt een heksentoer verlangd. Die mag al blij zijn als hij de steeds snellere stijging weet te vertragen tot een constante stijging. Wie rechtlijnig dik wordt, zou er eerst maar eens naar moeten streven de constant stijgende lijn om te buigen tot een horizontale lijn. Een knik lijkt al tamelijk veel gevraagd. De parabolische dikkerd zou zich kunnen wagen aan een behoedzame lijnpoging, maar juist hij of zij moet er rekening mee houden dat het lichaam, als het eenmaal is aangekomen bij een evenwichtstoestand waarbij te veel voedsel zich niet meer zo duidelijk vertaalt in verdere gewichtstoename, er niet zo makkelijk toe gebracht zal kunnen worden afstand te doen van die verworven homeostase.

Maar ja, dit is pure speculatie, schimmige theorievorming. We weten schrikbarend weinig over gewichtstoename. Ik heb er althans geen literatuur over kunnen vinden. Mij verbaast dat zeer. Overgewicht grijpt om zich heen, en toch lijkt niemand te weten hoe gewichtstoename verloopt, terwijl daar heel makkelijk achter te komen is. Ik heb nu drie mogelijke modellen geschetst voor gewichtstoename, maar wie weet verloopt het proces veel grilliger, krijg je s-vormige curves, net als bij de opname van zuurstof in het bloed, of valt er zelfs helemaal geen lijn te trekken door de punten die je krijgt als je de leeftijd uitzet tegen het lichaamsgewicht. Zolang er echter geen fatsoenlijk onderzoek gedaan is, houd ik het erop dat de gewichtstoename een parabolisch verloop kent. Elke kilo extra vergt iets meer tijd dan de vorige kilo erbij. Daar lijkt het in ieder geval sterk op als je zo her en der om je heen vol leedvermaak in de loop der jaren hebt aanschouwd hoe je vrienden en vriendinnen eerst onbezorgd, vervolgens achterdochtig en klagend over de zomerjurken die niet meer pasten, toen wanhopig lijnend, en uiteindelijk in hun vadsigheid berustend, hun eigen gewichtstoename hebben beleefd.

Als we al in het ongewisse verkeren ten aanzien van de wijze waarop gewichtstoename haar beslag krijgt, hoe kunnen we dan ooit een wetenschappelijk verantwoorde gewichtsafname realiseren? We weten allemaal dat het verschrikkelijk lastig is om af te vallen en dat lijnen veelal leidt tot het ongewenste jojo-effect. Wat eraf vloog, heb je er zo weer bij, en soms zelfs met interest. Maar ja, als de dikkerd er jaren over heeft gedaan om zo'n lekker mollig lijf te verwerven en er is inmiddels sprake van zoiets als homeostase, dan zal dat lieve lijf zich met hand en tand verzetten tegen zo'n brute ingreep.

Het dovemansorendieet

Zomin als je te weten kunt komen hoe mensen gewoonlijk aankomen, zomin kun je erachter komen hoe ze afvallen. Vliegen de kilo's er eerst af en stokt het proces dan? Of juist andersom? Of verloopt het rechtlijnig? Kom er maar eens achter. Niets lijkt daarover ooit gepubliceerd te zijn. De enige opmerking die ik erover heb aangetroffen, stamt van de dames Knight en Thomas: 'Gewichtsverlies verloopt niet lineair.'

Terwijl echter een spookstaak die wil aankomen nauwelijks enige literatuur kan vinden die hem een handreiking biedt bij zijn pogingen om extra kilo's te verwerven, staat de gemotiveerde slinkkandidaat een immense hoeveelheid literatuur ter beschikking. Als je de dieetwijzers volgens alfabet zou rubriceren, doemen alleen al bij de letter a zomaar zes alternatieven op: het Abs-dieet, het alfadieet van Jan Guus Waldorp, het acupunctuurdieet van Roy Martina (op televisie verklaarde deze goeroe dat dikte tussen de oren zit – heer Martina, daar zit het niet, het zit doorgaans rond het middel), het Atkins-dieet, het ananasdieet en het azijndieet. Over dat laatste dieet kan ik helaas niet meer vertellen dan dat het lord Byron twee eeuwen geleden, toen schaarste volgens Fresco en Schaafsma algemeen en corpulentie nagenoeg onbekend was, een gewichtsverlies van dertig kilo opleverde (van 88 naar 58 kilo). Bij de b kun je bijvoorbeeld kiezen tussen het broodwisseldieet en het bloedgroepdieet. Bij de c het eiwitrijke CSIRO Total Wellbeing Diet van de Australische Commonwealth Scientific and Industrial Research Organisation, dat ongetwijfeld uitgebroed is door lieden met nauwe banden met de Australische vleeslobby. Bij de d mijn dieet waar niemand aan wil, het dovemansorendieet, ofschoon het basisprincipe van het dovemansorendieet resultaat waarborgt. Dat luidt namelijk als volgt: hoe onsmakelijker het eten, hoe minder je nuttigt, hoe minder je aankomt. Mocht het dieet na publicatie van dit boek toch volgelingen vinden, dan herdoop ik het in het quinoadieet. In de 84 op alfabet gerangschikte diëten van de Wikipedia, van Abs-dieet tot Zone-dieet, ontbreekt warempel een dieet bij de letter q, dus het quinoadieet zou een welkome aanvulling zijn in die verbluffende lijst.

Wie zich enigszins verdiept in dat immense aanbod van dieetboeken, constateert al snel verbaasd dat de diverse eetgoeroes onder steeds weer een andere titel steeds weer hetzelfde boek publiceren. Montignac spant de kroon, die heeft zijn methode uiteengezet in gelijkluidende boekwerken. Vanaf *Je mange donc je maigris!* tot *La méthode Montignac* klonk steeds dezelfde boodschap (de titel van het eerste boek luidt in Nederlandse vertaling *Ik ben slank want ik eet*, en die van het tweede boek *Zij is slank want zij eet*, wat duidelijk benadrukt dat hier inderdaad sprake is hetzelfde boek). Bij Montignac is ook de bejaarde slank, 'want hij eet'. Alles wat hij eerder beweerde, keert hier en daar ietsje aangepast terug in het Engelstalige *The Montignac diet* uit 2005.

Sonja Bakker varieert de titels van haar verschillende boeken zelfs nauwelijks, eerst *Bereik je ideale gewicht*, vervolgens *Bereik en behoud je ideale gewicht* en *Bereik en behoud je ideale gewicht voor kinderen*. Toekomstige titels wellicht: *Bereik en behoud je ideale gewicht voor bejaarden. Bereik en behoud je ideale gewicht voor allochtonen.* Ze heeft inmiddels ook al *Zomerslank met Sonja*. Mettertijd kunnen daar uiteraard nog *Lenteslank met Sonja*, *Herfstslank met Sonja* en *Winterslank met Sonja* aan toegevoegd worden.

Atkins verwoordde zijn boodschap in vier elkaar sterk overlappende boekwerken, *Dr. Atkins' nieuwe dieetrevolutie*, *Een leven lang Atkins*, *Atkins' dieetdagboek* en *Atkins snel & makkelijk kookboek*. In *The Atkins essentials* van een team van de Atkins Health & Medical Information Services werd de succesformule na het overlijden van de meester verder uitgemolken.

Peter D'Adamo, de lichtzinnige fantast die ons verraste met *Het bloedgroepdieet*, herhaalde zijn boodschap in *Het bloedgroepdieet – de leefregels*, en publiceerde vier zakboekjes, één voor elke bloedgroep afzonderlijk, waarin ook weer, uitgesplitst naar de vier bloedgroepen, precies hetzelfde stond als in zijn hoofdwerk. Natuurlijk kon ook net als bij zoveel andere diëten een kookboek voor het bloedgroepdieet niet uitblijven.

Wat voorts opvalt in al die dieetboeken, is dat de auteurs het zelden nodig vinden voorgangers aan te halen. Hun dieet lijkt nieuw, oorspronkelijk, werd blijkbaar niet van eerdere dieetgoeroes afgekeken. Aan de knowhow die er ten aanzien van zo'n gecompliceerd en hachelijk fenomeen als corpulentie aantoonbaar reeds bestaat, wordt hoogstzelden gerefereerd. Elke goeroe begint weer van voren af aan. Maar ja, dat past wel bij de Fresco-trend om te doen alsof corpulentie op deze schaal een fenomeen is dat zich in het verleden nog nooit heeft voorgedaan.

Een dieet, dus een geheel van voorschriften, van geboden en verboden, komt tegemoet aan de diepste wensen van de mens. Net als de hond is de mens een organisme dat graag een aantal scherp geformuleerde verbodsbepalingen opgelegd krijgt. Enerzijds wil hij dat vanwege de immense voldoening die het oplevert om je daaraan te houden (je bent dan immers wilskrachtig en verstandig, en je laat zien dat je 'het goede' nastreeft, dus er straalt ook een zeker morele genoegdoening van af), anderzijds vanwege de niet minder grote voldoening om als een stout kind de regels te overtreden. Zo lassen de volgelingen van Sonja Bakker stuk voor stuk ook een SAS-dag, een 'schijt aan Sonja'-dag in. Op zo'n dag proppen ze zich vol met alles wat Sonja verbiedt.

De wildgroei aan diëten valt vooral te verklaren uit die diepgevoelde behoefte van de mens aan dwingende voorschriften. Elk dieet dat grote aantallen van zulke voorschriften bevat, zal populairder zijn dan diëten waarbij aan de eters en drinkers slechts vrijblijvende adviezen worden verstrekt. Montignac met zijn precies uitgekiende, overigens ongefundeerde regels, waarbij bepaalde combinaties van voedingsmiddelen wel en andere juist niet mochten, kwam in ruime mate tegemoet aan dat verlangen naar scherp geformuleerde, maar ook geheimzinnige verbodsbepalingen. Vandaar dat juist Montignac een tijdlang zo immens populair was. Zijn regels straalden een unieke raadselachtigheid uit. Juist het ontbreken van dwingende logica is een voordeel. Ontbeer je het inzicht waarom bepaalde koolhydraten niet met bepaalde vetten gecombineerd zouden mogen worden (van Montignac mocht je bijvoorbeeld geen boter op je brood smeren), en valt het je daardoor zwaarder je aan zo'n voorschrift te houden, dan is de morele genoegdoening als je je desondanks confirmeert groter, want dan houd je je 'blind' aan wat je is opgedragen. Net als een hond die ook niet begrijpt waarom hij niet op de bank mag springen, maar het desondanks niet doet.

Wie van nabij volgt – en ik heb dat vele malen mogen doen – hoe iemand een dieet adopteert en zich daar vervolgens aan houdt, merkt al snel dat zo iemand geneigd is zo'n dieet te reduceren tot een geheel van 'mag wel/mag niet'-bepalingen. In feite is zo iemand het meest geholpen met twee A4-tjes waarop een lijstje van eet- en drinkwaren prijken die wel genuttigd mogen worden, en een lijstje van eet- en drinkwaren die niet genuttigd mogen worden. (Vandaar achter in dit boek ook twee lijstjes). Komt zo iemand iets tegen wat hij of zij wil nuttigen maar waarvan hij niet kan achterhalen of het wel of niet toegestaan is, dan is er menigmaal sprake van vertwijfeling. Aan mij vroeg de echtgenote van de visboer, die zich, ofschoon ze lange tijd glashard bleef beweren dat ze niet gezet was, uiteindelijk toch tot het South Beach-dieet had bekeerd nadat haar huisarts haar had bezworen dat ze moest afvallen: 'Mag ik nou wel of niet zo'n verrukkelijk roze apengatje?' 'Natuurlijk mag je dat niet,' zei ik. 'Maar dat staat toch nergens in dat boek van die dokter Agatston,' zei ze, en hoewel ik nog riep: 'Als je niet weet of je iets niet mag, moet je er onverkort van uitgaan dat het verboden is', had ze haar tanden al gezet in zo'n uit geglazuurde suiker en geraffineerd meel opgetrokken baksel dat de kortste weg is naar gewichtsvermeerdering. Het lijkt overigens haast alsof Agatston haar vertwijfelde uitroep ook vernomen heeft, want hij verraste zijn volgelingen in 2004 met *Het South Beach Dieet. Goede vetten goede koolhydraten.* Zo'n boekje, daar smachten de lijners naar. Daarin kan precies opgezocht worden wat wel en wat niet mag. Toch bood zelfs dat boekje de vrouw van de visboer geen soelaas. Ze weigert nu eenmaal om groenten en fruit te eten, en ja, dan kun je afslanken vergeten.

Wat je ook van Sonja Bakker zeggen kunt, de psychologie van de lijner heeft geen geheimen voor haar. Bij haar zijn uiterst duidelijke 'mag wel/mag niet'-categorieën te vinden, een en ander zelfs gedifferentieerd naar de verschillende dagen van de week, zodat je op de ene dag iets mag wat een dag later weer ontraden wordt. Dat is ronduit geniaal, en kan ook moeilijk overtroffen worden tenzij je nog verder zou differentiëren, naar dagdeel bijvoorbeeld. In feite heeft ze dat ook al gedaan, want in haar boekjes vind je recepten voor de drie dagelijkse maaltijden waar je je precies aan houden moet. Diëtisten hebben al om strijd uitgeroepen dat het dieet van Sonja Bakker veel te weinig essentiële voedingsstoffen bevat. Tatjana van Strien haalde in september 2007 zelfs de landelijke pers toen zij de voedingsregels van Sonja betitelde als een 'crashdieet'. Ik denk dat het reuze meevalt. Ten eerste omdat adepten van Sonja Bakker zelf al SAS-dagen inlassen, waarop ze eventuele tekorten weer aanvullen, en ten tweede omdat al die weldoorvoede zwaarlijvigen die met Sonja Bakker in zee gaan minstens drie maanden lang met een kopje thee en wat schijfjes komkommer zouden kunnen volstaan voordat ze in de problemen komen. Met overgewicht hebben zij immers op een crashdieet geanticipeerd. Zwaarlijvigheid had toch overlevingswaarde in tijden van schaarste? Dan kan de soberheid die Sonja bepleit toch nooit een bezwaar zijn?

De mens heeft veel minder nodig dan de hedendaagse Tatjana's en diëtisten denken. Op slappe thee zijn de soldaten van de Grande Armée van Napoleon te voet van Moskou terug naar Frankrijk gestrompeld. Wie onderweg stierf, stierf eerder van kou dan van ondervoeding. Onze normen voor wat een mens per dag hoort binnen te krijgen, zijn krankzinnig hoog afgesteld en weerspiegelen de alomtegenwoordige, onthutsende overvloed. De nu ter zijde geschoven schijf van vijf was pure nonsens. We hebben verwonderlijk weinig nodig. In de negentiende eeuw werden arme stakkers in bijvoorbeeld Ierland en in de Nederlandse veenkoloniën op een dieet van vrijwel uitsluitend aardappels soms toch nog stokoud. Fontane vertelt in zijn wondermooie boek *Kriegsgefangen* hoe hij een paar jaar lang als 'gijzelaar' leeft op een enkel sneetje brood en wat soep, en hoe goed hij zich daarbij voelt.

Als je je in de negentiende-eeuwse dieetvoorschriften voor zwaarlijvigen verdiept, valt je al snel op dat er toen blijkbaar sprake was van een zekere consensus. Van een dokter kreeg begrafenisondernemer Willem Banting te horen dat hij brood, boter, melk, suiker, bier, aardappelen en wortelgroenten moest mijden. 'Mijn arts zeide mij dat deze voedingsmiddelen omdat zij zetmeel en suiker bevatten de neiging tot vetvorming bevorderen.' De Duitse hoogleraar Oscar Maas waarschuwt in zijn werk *De corpulentie* eveneens voor meelspijzen, brood, rijst en aardappels.

De eerste geneesheer van de Kliniek voor Interne Ziekten te München, professor doctor Kurt Voit, publiceerde in 1935 een dieet bij zwaarlijvigheid. Voit zegt: 'Wij weten – en dat zien wij duidelijk bij het vetmesten van dieren, zoals ganzen en varkens – dat koolhydraten wanneer de glycogeendepots in lever en spieren opgevuld zijn, in het organisme in vet worden veranderd en als zodanig afgezet. Dit feit is van grote betekenis voor de voeding van personen die aan vetzucht lijden, aangezien dus bij hen niet alleen de vetten maar ook de koolhydraten beperkt moeten worden. Een vervorming uit eiwit speelt praktisch geen rol bij de afzetting van vet.' Voit pleit 'behalve voor de vermindering van de toegevoerde hoeveelheid vet' ook voor 'beperking van de koolhydraten'. Dan zegt hij, daarbij vooruitlopend op het South Beach-dieet, 'dit geldt in het bijzonder voor die welke gemakkelijk geresorbeerd worden, zoals suiker, fijn meel enzovoort. De werkelijke behoefte aan koolhydraten moet daarom in de eerste plaats gedekt worden door de cellulosehoudende voedingsmiddelen zoals groenten, fruit, aardappelen in beperkte mate, grof roggebrood enzovoort, aangezien wij weten dat deze voedingsmiddelen slechts gedeeltelijk in de menselijke darm worden afgebroken, terwijl een deel het lichaam ongebruikt weer verlaat.'

Weer een andere Duitse voedingsdeskundige uit de negentiende eeuw, professor Ebstein, 'beperkt het gebruik van koolhydraten zeer', vertelt Maas in zijn boek. 'Suiker, zoete zaken van allerlei aard, aardappelen in alle vormen worden onvoorwaardelijk verboden. De hoeveelheid brood mag niet meer dan 80, hoogstens 100 gram per dag bedragen, en van de groenten zijn alleen asperges, spinazie, de verschillende koolsoorten en vooral erwten en bonen veroorloofd.'

Opmerkelijk is dat al die Duitse deskundigen, net als Atkins later trouwens, primair koolhydraten als de grote boosdoeners zien. Een uitzondering daarop vormt professor doctor Ludwig Sternheim uit Hannover, die doodsbenauwd is voor vet, voor boter, voor melk, voor room, die hij 'gistend drakengift' noemt. Hij zegt wel: 'De hoofdoorzaak van te veel vetaanzetting is het gebruik van te veel voedingsstoffen, in het bijzonder van vethoudende spijzen en koolhydraten, maar ook van eiwitlichamen', en het lijkt er dus op dat hij koolhydraten ook veroordeelt, maar bij deze opsomming heb je meteen alle voedingsstoffen genoemd – dus allicht ook datgene waar je zwaar van wordt – en verderop blijkt toch dat hij vooral bang is voor vet. En voor alcohol. 'Alcoholhoudende dranken bevorderen den vetaanwas, omdat de alcohol het in het lichaam aanwezige vet voor verbranding beschermt en buitendien als gif de oxydatiekracht van de lichaamsweefsels benadeelt. Het bevat buiten den alcohol nog voedingsstoffen in den vorm van koolhydraten.' Dat alcohol vetverbranding belemmert, kom je ook in andere publicaties tegen. In hoeverre dit echt dwingend is aangetoond, weet ik niet, maar het lijkt verstandig daar rekening mee te houden als je op gewicht wilt blijven of wilt afslanken. Sternheim is ook van mening dat 'de oorzaak van vetaanwas bijna altijd alleen in te rijkelijke voeding en minder in het gebrek aan lichamelijke beweging' gezocht moet worden.

Op Sternheim na waren alle Duitse professoren van mening dat een overmatig gebruik van koolhydraten en niet zozeer dat van vetten zwaarlijvigheid veroorzaakte. Atkins' dieetrevolutie was dus geen revolutie, maar een terugkeer naar inzichten die al in de negentiende eeuw opgeld deden. Anders dan bij Atkins het geval is, werd er zelfs al onderscheid gemaakt tussen goede en slechte koolhydraten. Derhalve is Arthur Agatston met zijn South Beach-dieet evenmin een werkelijke vernieuwer.

Zoveel dieetboeken als er zijn, zoveel publicaties zijn er ook waarin omstandig uiteengezet wordt dat diëten niet werken. Carol Rinzler verdoemt in *Afvallen voor dummies* alle dieetgoeroes, net als Brenda Scholten in haar olifantenboekje, en Tatjana van Strien in *De afslankmythe*. Onveranderlijk luidt de boodschap van deze dieetbestrijders: wat eraf gaat, komt er ook weer aan, pas op voor het jojo-effect. Toch is ook dat te kort door de bocht. Het is aannemelijk te veronderstellen dat vele diëten wel degelijk effect sorteren. Niet altijd bij iedereen, maar bij elk dieet doemt vroeg of laat wel iemand op die er baat bij heeft. De reden waarom er vrijwel met elk dieet resultaat geboekt kan worden, is vooral gelegen in het feit dat degeen die op dieet gaat opeens let op wat hij of zij eet. Dat is vaak al voldoende om enigszins af te vallen. Blijvende resultaten biedt een dieet vrijwel nooit, omdat degeen die op dieet gaat het beschouwt als een vorm van penitentie waar liefst weer zo snel mogelijk een einde aan moet komen. Als er eenmaal een paar kilo's kwijt zijn, volgt al snel terugkeer naar vertrouwde eetgewoontes en dus ook naar het eertijds zo langzaam verworven (over)gewicht.

Als ik flink moest afvallen en werd gedwongen uit het overweldigende aanbod aan diëten er een te kiezen, zou ik met flinke aarzelingen overigens opteren voor het South Beach-dieet. Dat lijkt mij van al die kwade diëten nog het minst schadelijk, en de vrouw van de visboer is er dan ook op mijn aanbeveling mee in zee gegaan. Daarbij stuitte ze overigens al snel op het voorschrift om zilvervliesrijst te eten in plaats van witte rijst. Merkwaardig dat iets wat mij zo vanzelfsprekend lijkt, zo verbluffend veel weerstand oproept. Mij dunkt dat het verschil tussen witte rijst en zilvervliesrijst niet groot genoeg is voor de immense huiver van de vrouw van de visboer. Op de buis zag ik echter een volgeling van Sonja Bakker die op advies van een diëtiste eerder ook zilvervliesrijst in plaats van witte rijst had moeten eten en daarover zei: 'Ik moest van die enge rijst met fliebertjes eraan eten, verschrikkelijk was dat, toen ik het had klaargemaakt en m'n kinderen voorzette, begonnen ze meteen allemaal te braken, zulke enge rijst, dat hoeft bij Sonja goddank niet.'

Veel succes lijkt het South Beach-dieet derhalve niet beschoren bij wat lager opgeleide bevolkingsgroepen. Voor de modale vmbo-eter lijkt zo'n dieet reeds te hoog gegrepen. Vandaar het succes van Sonja Bakker. Zij biedt zonder meer een voortreffelijk dieet voor simpele zielen. Het wordt aan de man gebracht in helder geschreven boekjes met weinig ronkende pretenties. Niet zodra had de vrouw van de visboer Sonja Bakker op de buis ontwaard, of zij schoof Agatston terstond ter zijde. Toen ik haar laatst weer sprak en naar haar ervaringen met Sonja Bakker vroeg, zei ze verontwaardigd: 'Ik kwam ervan aan.' 'Daar begrijp ik niks van,' zei ik, 'iedereen die ernaar grijpt, valt af.' 'Nou, ik helemaal niet, en dat terwijl ik nog minder at dan Sonja voorschrijft, ik liet alle groenten en fruit namelijk weg.' 'Nam je daar dan misschien iets voor in de plaats?' vroeg ik. 'Zo af en toe een enkel speculaasje in plaats van spinazie,' zei ze.

Overigens word je ook bij het South Beach-dieet (Adriaan van Dis zweert erbij, 'Het is geen dieet, maar een way of life,' zei hij me laatst en dankzij dat dieet weegt hij, 1 meter 91 lang, nu nog slechts 99 kilo) geconfronteerd met die geheimzinnige glycemische index die tegenwoordig in alle boeken over voedsel en diëten opduikt. Wat daarvan nu te denken?

De glycemische index

Je treft hem in vrijwel alle hedendaagse dieetboeken aan: de glycemische index. Een simpel lijstje van voedingsmiddelen met daarachter een getal. Zelfs Lucas Reijnders, die toch bepaald niet van kritische zin verstoken is, laat zich in zijn boekje *Eetpatronen* lovend uit over de glycemische index en geeft ook een lijstje van voedingsmiddelen met een hoge en een lage glycemische index. Als Reijnders er zelfs achter staat, wie ben ik dan om te twijfelen aan het nut van de glycemische index?

Eerst maar eens duidelijkheid over de vraag wat de glycemische index is. 'De glycemische index,' aldus de Antwerpse diëtiste Annemie Van de Sompel, 'is een maat voor de snelheid waarmee een koolhydraat bevattend voedingsmiddel wordt verteerd en geabsorbeerd en het bloedsuikergehalte doet stijgen.'

Margreet Chardon definieert de glycemische index iets anders. 'De glycemische index (afkorting GI) is de reactie van de bloedsuikerspiegel op 50 gram koolhydraten van een voedingsmiddel. Dus hoeveel stijgt je bloedsuikerspiegel als je van dat product 50 gram koolhydraten eet?'

Montignac definieert de glycemische index wat nauwkeuriger, maar ook ingewikkelder. 'Het vermogen,' zegt hij in *Ik ben slank want ik eet!* 'van iedere koolhydraat om de bloedsuikerspiegel te verhogen is vastgelegd in de glycemische index, een begrip dat is gedefinieerd in 1976.' In alle andere literatuur over de GI vind je dat het begrip in 1981 door David Jenkins is geïntroduceerd, dus hoe Montignac aan 1976 komt is niet duidelijk. Montignac geeft dan een plaatje van de stijging van de bloedsuikerspiegel na inname van glucose. Op de y-as van zijn grafiekje is de bloedsuikerspiegel uitgezet, op de x-as de tijd in minuten. Er ontstaat dan een driehoekig grafiekje, een snelle stijging van de bloedsuikerspiegel gevolgd door een langzame daling. Vervolgens vertelt Montignac: 'Men geeft aan glucose volgens afspraak het indexcijfer honderd dat het oppervlak onder de corresponderende curve van de bloedsuikerspiegel vertegenwoordigt.' De glycemische index van de andere koolhydraten wordt dan berekend volgens de formule 'oppervlakte van driehoek van het geteste koolhydraat gedeeld door oppervlakte van glucosedriehoek maal honderd'.

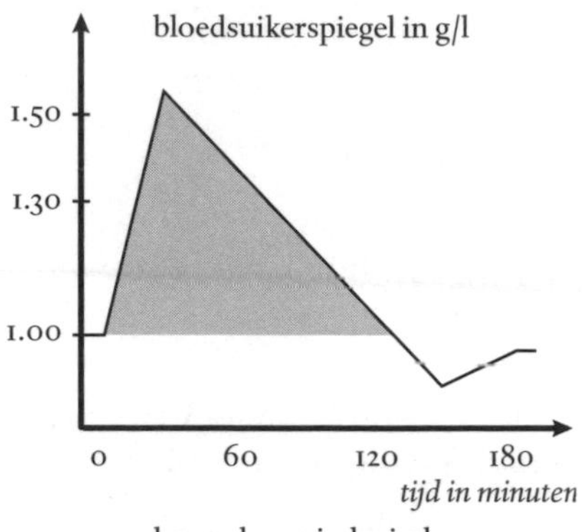

hoge glycemische index

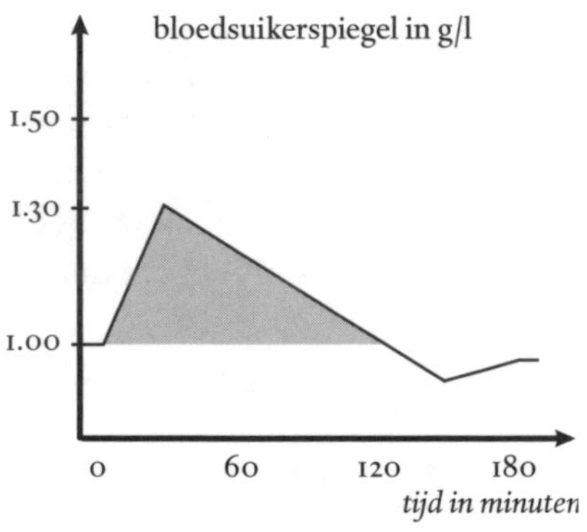

lage glycemische index

Waar het dus in feite op neerkomt, is dat je de snelheid waarmee glucose wordt omgezet in bloedsuiker vergelijkt met de snelheid waarmee koolhydraten uit andere voedingsmiddelen worden omgezet in bloedsuiker. Hoe langzamer nu de koolhydraten uit een voedingsmiddel, vergeleken met referentieverbinding glucose, worden omgezet in bloedsuiker, hoe lager de glycemische index. Ga je ervan uit dat het slecht is als koolhydraat snel in bloedsuiker wordt omgezet, dan kun je dus alle voedingsmiddelen die koolhydraten bevatten verdelen in foute, met glucose vergelijkbare voedingsmiddelen, en goede, sterk van glucose afwijkende voedingsmiddelen. Hoe dichter een voedingsmiddel het indexcijfer van glucose nadert, hoe slechter het is. Hoe verder het daar van af staat, hoe beter. Daarbij ga je er dus van uit dat het uit den boze is als je bloedsuikerspiegel snel stijgt.

Dat klinkt allemaal prachtig, en het komt ook weer duidelijk tegemoet aan de algemeen menselijke behoefte aan indelingen in goed en slecht. Goede koolhydraten versus slechte koolhydraten. Het zo gewenste A4-lijstje kortom met voedingsmiddelen die je wel mag eten, en het A4-lijstje met voedingsmiddelen die je niet mag eten. Helaas, ik denk dat het allemaal niet zo eenvoudig is.

Ten eerste rijst al dadelijk de vraag hoe bij inname van glucose eigenlijk wordt gemeten hoe het verloop is van de bloedsuikerspiegel. Daarvoor moet je, wil je zo'n grafiekje kunnen geven zoals Montignac ons aanbiedt in zijn boek, continu drie uur lang het suikergehalte in bloed kunnen meten. Hoe doe je dat? Breng je een sonde aan in iemands ader en laat je drie uur lang het bloed het lichaam uit en weer in stromen via de omweg van een meter die nauwkeurig bepaalt hoe op elk moment de bloedsuikerspiegel eruitziet? Of neem je – en zo zal het zeker zijn beslag krijgen – tijdens die drie uur alleen maar af en toe een bloedmonster? Daar lijkt het op als je sommige grafiekjes bekijkt. Om het half uur een punt op de grafiek, dus elk half uur is bij een proefpersoon een bloedmonster genomen en het bloedsuikergehalte bepaald. Maar hoe nauwkeurig zijn dan je metingen?

Ik heb allerlei literatuur nageplozen om erachter te komen hoe men nu eigenlijk precies meet hoe die bloedsuikerspiegel na inname van glucose stijgt en weer daalt, maar ik ben er niet achter kunnen komen. David Jenkins, die het begrip 'glycemische index' heeft geïntroduceerd, vertelt ons in zijn artikelen ook nergens haarscherp hoe hij zijn metingen heeft verricht. Mij dunkt dat het verbazend lastig is om nauwkeurige bloedsuikerspiegelmetingen te verrichten. Ik heb zelf twee jaar op een farmacologisch laboratorium en twee jaar op een medisch-biologisch laboratorium gewerkt. Daar werden metingen verricht om erachter te komen met welke snelheid oraal toegediende farmaca (medicijnen) in de bloedbaan terechtkwamen. Een hachelijke onderneming! Meten is weten, maar doorgaans blijkt nauwkeurig meten een loodzware opgave!

De enige die een tipje van de sluier oplicht, is de Amerikaanse voedingsdeskundige Walter C. Willett. In zijn boek *Eet, drink en blijf slank & gezond* schrijft hij: 'Het opbouwen van een bestand van glycemische indexen is een naar verhouding langzame, moeizame onderneming. Dat komt doordat ieder voedingsmiddel op een aantal vrijwilligers moet worden getest en iedere test een aantal keren moet worden uitgevoerd. Dat gaat als volgt. Een gezonde vrijwilliger mag een nacht niets eten. De volgende ochtend krijgt hij 50 gram witbrood of water waarin 50 gram glucose is opgelost. In de twee uur die daarop volgen worden regelmatig bloedmonsters genomen, waarvan het glucosegehalte wordt gemeten. De glycemische index van dat voedingsmiddel voor die persoon wordt berekend door het bloedsuikergehalte in respons op het voedingsmiddel te delen door de respons op witbrood of zuivere glucose. Omdat we allemaal verschillend zijn aangaande de vertering van voedsel en de reactie op glucose, is de glycemische index die we in de tabellen vinden, meestal het gemiddelde van acht tot tien proefpersonen.'

Ondanks het feit dat hier dus sprake is van, zoals Willett zegt, een 'langzame, moeizame onderneming', krijg je vaak reusachtige tabellen voorgeschoteld waarin van allerlei voedingsmiddelen de glycemische index wordt weergegeven. Van al die voedingsmiddelen zou dus bij gemiddeld acht tot tien vrijwilligers het bloedsuikergehalte zijn bepaald nadat ze chocoladerepen, mango's, witte rijst, volkorenboterhammen, dadels, vijgen en wat niet al na een nacht vasten hebben gegeten in gestandaardiseerde laboratoriumsituaties. Alleen dat al! Reken maar dat het voor de wijze waarop je voedsel verteerd wordt heel wat uitmaakt of je na de maaltijd loom wegdommelt in je luie stoel of gestrest in een laboratorium elk half uur moet ondergaan dat iemand een beetje bloed aftapt. Goed, als het door een lieftallige analiste wordt gedaan, kan het meevallen, maar dan ben je niet zozeer gestrest als wel geërotiseerd, en wat spoken dan de koolhydraten in je darmen uit die je binnenkreeg via bijvoorbeeld de witte rijst die je zo-even hebt genuttigd?

Er is ook een ander groot probleem bij dit soort metingen. Als je de glycemische index van een voedingsmiddel wilt weten, dien je dat onder gestandaardiseerde omstandigheden toe bij een proefpersoon. Iets anders mag hij uiteraard niet nuttigen, en lang daarvoor mag hij al niets genuttigd hebben (een nacht vasten), want dan zouden je waarnemingen meteen al niets waard zijn. Maar een mens consumeert bij een maaltijd zelden één voedingsmiddel. Je krijgt altijd een combinatie van eetwaren binnen. Dus je zou van een gewone maaltijd de GI moeten meten. Maar wat meet je dan? Een gemengde glycemische index? Je kunt wel uitvogelen wat de GI is van diverse producten, maar als je niet weet hoe al die voedingsmiddelen elkaar beïnvloeden als zij verteerd worden, ben je nog nergens. Vet zou de opname van koolhydraten vertragen. Dus een beetje boter op zo'n boterham met zo'n akelig hoge glycemische index zou, anders dan Montignac beweert, juist goed zijn. In *Kijk op koolhydraten* schrijft Nicoline Duinker-Joustra: 'De GI-waarde is nog niet van alle voedingsmiddelen bekend. Ook van de combinaties van voedingsmiddelen zijn nog weinig gegevens voorhanden.'

De simpele cijfers van de glycemische index voor al die voedingsmiddelen geven nauwelijks houvast zolang we nog in het ongewisse verkeren over de wijze waarop voedingsmiddelen bij elkaar de opname van de koolhydraten erin remmen of juist versterken of misschien zelfs verstoren.

Je kunt je ook nog afvragen: wat voor vrijwilligers hebben zich geleend voor deze metingen? Kinderen, bejaarden, alcoholisten, vetzakken, visboeren? Dat is nauwelijks waarschijnlijk. Tien tegen één waren het arme, uitgehongerde studenten die een centje wilden bijverdienen. Een aselecte steekproef uit de populatie dus. Zo'n GI-tabel geeft een studentenindex.

In de glycemische-indextabellen in al die dieetboeken tref je vaak uiteenlopende getallen aan voor dezelfde voedingsmiddelen. Hoewel dat op zich al weinig vertrouwen wekt, zou het er ook nog op kunnen wijzen dat een meting van de bloedsuikerspiegelstijging en -daling na het eten van een mango in Canada totaal anders uitpakt dan in Frankrijk. Maar ja, als er zoveel verschil is tussen de ene meting en de andere, en als het wellicht ook nog uitmaakt of de mango rijp, groen of rot is, wat zegt dan zo'n GI-getal?

Daar komt nog bij dat je bloedsuikerspiegel als je één boterham nuttigt uiteraard minder stijgt dan als je drie boterhammen nuttigt. Dus je moet bij alles wat je eet niet alleen kijken naar de snelheid waarmee je koolhydraten in bloedsuiker worden omgezet, maar ook naar de hoeveelheid koolhydraten die je binnenkrijgt. Vandaar dat men naast het concept van de glycemische index ook het concept van de *glycemic load* heeft geïntroduceerd. Van drie boterhammen is de *glycemic load* drie keer zo hoog als van één boterham. Wortels blijken in vrijwel al die GI-tabellen hoog te scoren, maar als je uit wortels net zoveel koolhydraten wilt binnenkrijgen als uit brood, moet je er een verbazingwekkende hoeveelheid van consumeren. En als zo'n wortel rauw geconsumeerd wordt, worden de koolhydraten eruit lang zo snel niet opgenomen dan als hij gekookt is. Ik hoef mij dus met terugwerkende kracht niet bezorgd te maken over al die wortels die ik als kind verorberd heb om mijn hongergevoelens te bestrijden.

Op z'n best geeft de glycemische index een piepklein beetje houvast bij de keuze van je voedingsmiddelen. Zou je er blind op varen, dan kun je het eten van brood en aardappels wel vergeten. Maar het ene brood is het andere niet, en de ene graansoort is totaal anders dan de andere graansoort, dus al die hoge glycemische waarden voor brood – ik heb er zo mijn twijfels over. Ik zag al advertenties voor Nicola-aardappels met de aanbeveling 'Aardappel met lage glycemische index'. Zoveel is dus zeker: handige bliksems hebben inmiddels al door dat je met een lage glycemische index kunt scoren bij de goedgelovige consument. Het wachten is op Becel-producten met een lage glycemische index. In Australië schijnt de GI al op levensmiddelenverpakkingen vermeld te worden. Mij lijkt dat zwaar overdreven. Bovendien moet je sowieso niet eten wat in verpakking wordt aangeboden.

Annemie Van de Sompel zegt: 'De glycemische index is een begrip dat nu al ruim twintig jaar als een mistig gegeven boven de voedingswetenschappen hangt. Verschillende onderzoekers zetten nog vraagtekens bij de relevantie van het GI-concept.' Zeker, een mistig gegeven, maar in één opzicht is het niet mistig. Het maakt onderscheid tussen 'goede' en 'slechte' koolhydraten en juist dat zwart-witonderscheid lijkt me een groot bezwaar ervan. De eerder aangehaalde Nicoline Duinker-Joustra zegt: 'Ten onrechte wordt soms gesproken over slechte (hoge GI) en goede (lage GI) koolhydraten. Soms zijn snelle koolhydraten heel belangrijk en op andere momenten is het beter om voor langzame koolhydraten te kiezen. Diabetici hebben soms problemen met een opkomend diabetisch coma door een te laag bloedglucosegehalte en dan zijn snelle koolhydraten een oplossing.'

Niettemin waarschuwen Montimaniakken steevast voor hoge GI' s. Allerlei eeuwenlang beproefde en onbezorgd genuttigde heerlijkheden zoals banaan, mango, tuinboon en brood worden aldus plotseling gestigmatiseerd door hun vermeend hoge glycemische index. Wie blindvaart op het GI-concept, kan er gemakkelijk toe komen bepaalde voedingsmiddelen met een hoge glycemische index in de ban te doen, en aldus het kind met het badwater weg te gooien. Voedingsmiddelen bevatten naast snel verterende koolhydraten vaak ook nog allerhande vitamines, mineralen, flaveoniden en fytonutriënten, dus daar grijp je ook naast als je ze in de ban doet.

Gierst bijvoorbeeld heeft een hoge glycemische index, rond de 70 in de meeste tabellen. Toch zou het onverstandig zijn gierst daarom te schrappen. Het bevat veel koolhydraten, maar ook allerlei mineralen en opvallend veel eiwit (rond de 20 procent). In het dovemansorendieet past het naadloos omdat het niet erg smakelijk is, dus je eet er weinig van. Het is vrij van gluten. Het is snel gaar. Je kunt het gebruiken ter vervanging van rijst, en afwisseling is altijd verstandig, zeker in dit geval, want rijst bevat ook veel koolhydraten, maar minder mineralen en eiwit.

Couscous is smakelijker dan het verwante gierst, maar heeft eveneens een hoge glycemische index. So what? Mits matig gebruikt vormt het een voortreffelijke onderlaag voor groentemengsels (jammer alleen dat ik het nooit mooi droog klaargemaakt krijg). Een ander voordeel van gierst en couscous is dat ze niet slecht scoren op het gebied van de stoelgang. In het dovemansorendieet kunnen ze dus niet gemist worden. Een alternatief voor couscous is overigens amarant. Als je waarde hecht aan die GI, welnu, bij amarant is die lager dan bij couscous (maar hoe en waar en door wie is dat allemaal ooit gemeten?). Amarant scoort ook goed op het gebied van de stoelgang.

Dadels, doperwten, tuinbonen, pompoenen, bietjes, wortels, watermeloenen en bananen zijn in de tabellen ook altijd voorzien van een hoog GI-getal. Pasgedopte erwtjes kun je echter rauw eten, en hetzelfde geldt voor piepjonge tuinboontjes. Bij rauw gebruik hoef je je geen zorgen te maken over de koolhydraten die je binnenkrijgt. Wat rauw de maag bereikt, verteert langzaam, en bij langzame vertering worden de koolhydraten vanzelf in slow motion in glucose omgezet. Bietjes moet je ook eten als ze nog klein zijn. Wellicht dat je dan wat koolhydraten en suikers binnenkrijgt, zeker als die jonge bietjes nog zo heerlijk zoet smaken, maar ach, veel kan het nooit voorstellen. Bovendien krijg je veel vezels binnen en vezels vertragen de spijsvertering. Verwerk je pompoen tot soep dan kun je daar maar weinig van op, dus ook daar: geen zorg. Dadels laxeren, dus passen ze in het dovemansorendieet. Op watermeloen ben ik niet dol, maar daar kun je hoogstens een punt van op, en ze laxeren heel behoorlijk, dus wat zou er tegen kunnen zijn? Banaan bevat inderdaad veel suikers en koolhydraten, banaan zet aan, maar banaan bevat ook veel kalium, en dat heet goed te zijn voor de bloedsomloop. Bij wat dan verder nog hoog scoort op de GI-schaal – witbrood, witte rijst, bier, suiker, cornflakes, mais, ijs en enge dingen zoals chips en popcorn en koekjes – daar blijft een verstandig mens sowieso toch al ver uit de buurt. Daar hoef je helemaal niet van te weten dat de glycemische index ver boven de vijftig uitkomt.

Mij lijkt de glycemische index een nepconcept, echt iets voor dieet-goeroes die hun adepten graag een lijst willen aanbieden van voedingsmiddelen waar je hartgrondig nee tegen moet zeggen en voedingsmiddelen waar je volmondig ja op kunt zeggen. Er is zelfs al een dieet dat gebaseerd is op de glycemische index. Laat je toch niet verneuken! Zo'n tabel met cijfers waaruit je kunt aflezen wat je wel en niet moet eten, komt tegemoet aan het verraderlijke verlangen om alles eenvoudig te houden.

Niet ontberen, maar laxeren

Overal waar sprake is van toevoer, lijkt aandacht voor afvoer vanzelfsprekend. Wie een wasmachine ontwerpt, zorgt ervoor dat het waswater na het reinigingsproces de machine zo efficiënt mogelijk kan verlaten. Om te voorkomen dat er kalk achterblijft, kun je een chemisch preparaat aan je waswater toevoegen. Wie een bioscoop bouwt, zorgt voor nooduitgangen. Mijn vader, lid van de vrijwillige brandweer, zei altijd: 'Als je een groot, hoog gebouw binnengaat, zorg dan dat je weet hoe je er zo snel mogelijk weer uit kunt komen.' Toen ik een keer was uitgenodigd in het restaurant van het ABN AMRO-gebouw dat pal naast station Amsterdam-Zuid is neergezet, maalde dat onophoudelijk door mijn hoofd. Aangeland in een restaurant met een ronduit fenomenaal uitzicht, na een tocht met twee liften en twee trappen besefte ik dat ik, zou er brand uitbreken, of een 9/11-Boeing tegen het gebouw aan vliegen, voor een vrijwel onmogelijke opgave stond om er snel weer uit te komen. Was er überhaupt wel een brandtrap?

Mijn vader zei ook altijd: 'Zie je boven een deur een bordje met vurige letters GEEN UITGANG, dan weet je dat je daardoor meestal snel naar buiten kunt vluchten.' Bij de afvoer van alles wat we (te veel) binnenkrijgen, staan ons vijf uitgangen ter beschikking. Overtollige gassen kunnen we afvoeren via de ademhalingsorganen. Overtollig vocht via de nieren, via de zweetklieren en via de neus. Overtollige vaste stoffen via de endeldarm. Je zou verwachten dat in al die dieetboeken ruim aandacht geschonken zou worden aan de diverse mogelijkheden om de afvoer van gas, vocht, slijm en vaste stof te optimaliseren teneinde het lichaamsgewicht op peil te houden. Merkwaardigerwijs is dat nooit het geval.

Het lijkt alsof hier sprake is van een taboe. Je kunt vuistdikke boeken lezen over lijnen en afvallen zonder ook maar één verwijzing tegen te komen naar transpireren, urineren en defeceren. Zweet, pis en kak komen hoogstens zeer terloops ter sprake, en worden nooit zo onverbloemd bij de naam genoemd als ik nu doe. In *Afvallen en opstaan* van Wieke Biesheuvel wordt bijvoorbeeld nimmer gerept over de ontlasting. De schrijfster wil afvallen, maar bij haar vermageringspogingen daagt op geen enkel moment het besef dat ze zou kunnen kiezen voor voedingsmiddelen met laxerende eigenschappen.

Een heel enkele keer betrap je zo'n vermageringsauteur op een zijdelingse opmerking over de ontlasting. Professor doctor Ludwig Sternheim uit Hannover zegt bijvoorbeeld: 'Volledigheidshalve zij hier nog op de noodzakelijkheid gewezen voor een geregelde stoelgang te zorgen (vruchten en roggebrood helpen hiermede).' Dat hij de laxeerhulpmiddelen tussen haakjes zet, alsof hij zich ervoor schaamt, spreekt boekdelen. Een heel werk over een betrouwbare en onschadelijke bestrijding der corpulentie, en dan terloops één opmerking over de stoelgang. Volledigheidshalve!

Wie zijn lichaam uitlevert aan het Atkins-dieet, merkt al snel dat hij geconstipeerd raakt. Mijns inziens het beste bewijs dat je behoedzaam moet omgaan met dit dieet (waarmee overigens beslist spectaculaire resultaten kunnen worden geboekt). Dat je met Atkins niet meer kunt poepen, kun je, als je het dikke boek van deze cardioloog doorneemt, alleen maar opmaken uit zijn terloopse mededeling: 'Als u last hebt van constipatie moet u een eetlepel psylliumvezels in een glas water mengen en dit dagelijks drinken.' Elders in het vuistdikke boek, 450 pagina's, wordt het 'misvatting nummer 14 omtrent het Atkins-dieet' genoemd dat het constipatie zou veroorzaken. Het is echter allerminst een misvatting. Het team dat het Atkins-succes in *The Atkins essentials* nog maar wat verder heeft uitgesponnen, is tenminste zo netjes om twee hele pagina's te wijden aan het omgaan met de verstopping die het treurige resultaat is van het Atkins-dieet.

De dames Knight en Thomas, die in hun geestige boek verslag doen van hun naar het zich laat aanzien geslaagde pogingen om met behulp van het Atkins-dieet af te vallen, zijn – en dit is bepaald uitzonderlijk – openhartig over hun stoelgang. Psylliumvezels ten spijt vertelt India op dag twee van haar dieet: 'Sinds eergisteren heb ik niet meer gepoept, wat niet lekker voelt.' Een dag later schrijft ze: 'Vandaag niet gepoept. Ik vind het afschuwelijk als ik niet poep. Ik hoop dat er morgen beweging in de zaak komt.' Nog een dag later: 'Wat ik ECHT deprimerend vind is dat ik nog steeds niet heb gepoept.' Pas op dag vijf, als beide dames zich shit voelen, produceert India eindelijk enige drollen. Kennelijk komt het later bij de dames toch in orde, want ze zeggen: 'Na verloop van tijd zul je merken dat je ontlasting minder stinkt. Als je vaak door winderigheid werd geplaagd [o jee, je wordt wel met je neus op de onsmakelijke details gedrukt] zul je daar geen last meer van hebben. Als de structuur van je ontlasting wisselde [dus van dag tot dag anders was] zul je ook van deze, eh, druk verlost zijn. Uiteindelijk produceer je ontzettend efficiënte superdrollen die je probleemloos kwijtraakt, die relatief geurloos zijn en waar je niet meer dan een paar velletjes wc-papier voor nodig hebt. Sorry, als dat te veel informatie naar je smaak is, maar dit is echt niet de plaats om preuts te zijn.' Dit soort passages in een dieetboek zijn uitzonderlijk, ze verdienen een schoonheidsprijs.

Jan Guus Waasdorp schrijft een boek van vierhonderd pagina's waarin hij het zogenaamde alfadieet propageert, dat ons net zo slim, sexy en slank moet maken als onze voorouders (beste Jan Guus, hoe weet u zo zeker dat die slim, sexy en slank waren; mijn overgrootvader was krom, klein en kinds), maar pas op pagina 280 zegt hij voor het eerst iets over de stoelgang. 'Omdat aubergines heel vezelrijk zijn, maar sommige koolhydraten slechts in geringe mate door de darmen worden opgenomen en gisten in de dikke darm, kan het eten van aubergines een licht laxerend effect hebben.' Het lijkt hier alsof hij ons wil waarschuwen. Pas op, aubergines laxeren een beetje. Alsof dat eerder een bezwaar dan een voordeel zou zijn. Verderop waarschuwt hij ons op vergelijkbare wijze ook nog voor de laxerende eigenschappen van kersen en pruimen. Waasdorp toch, hoe beter het laxeert, hoe minder het 'verzweert!'

Ook Sonja Bakker is niet erg scheutig met informatie over de stoelgang. Ze beveelt (heel terecht trouwens, waar vind je dat in andere vermageringsboeken?) rauwkost aan. 'Als je rauwkost eet, zit je eerder vol en eet je minder avondeten. Bovendien zitten er veel vezels in die bijdragen aan een goede stoelgang.' Even verderop (op pagina 26 van haar eerste boekje) wijdt ze nog een kwart pagina aan het thema van de stoelgang (wat al meer is dan in de meeste andere dieetboeken) en beveelt ze onder meer een ontbijt met drie kiwi's aan.

Voordat we ons op de aanmaak en afvoer van stront storten, eerst een enkel woord over de vochtafscheiding. Die kan via de neus (snot), de nieren (urine) en de zweetklieren geschieden. Veel vat op snot en urine heb je niet als je wilt afvallen, en dat is misschien maar goed ook, doch onderschat zweet niet als een mogelijkheid om in zeer korte tijd enkele kilo's kwijt te raken. Als ik in de warme zon een uur lang houthak en het zweet gutst van mijn lijf, blijk ik na afloop zomaar drie kilo lichter te zijn. Dirigenten worden doorgaans stokoud, en er is een theorie die zegt dat dat komt doordat zij tijdens concerten in hun warme rokkostuums overvloedig zweten. Wil je afvallen, ga dan een uur lang houthakken in de zon of volg een dirigeercursus. In ieder geval zie je zelden een corpulente dirigent.

Als peuter werd ik al hartstochtelijk geboeid door de uitscheiding.

Mijn brave ouders voerde ik naar de grenzen der vertwijfeling met een zelfgemaakt liedje:

Poep, kak, stront,
overal in het rond.
Pies, kak, poep,
overal op de stoep.
Pies, poep, kak,
overal op het dak.
Kak, poep, pies,
o, wat is dat vies.

Voor dat liedje schaam ik mij niet. Niemand minder dan Wolfgang Amadeus Mozart werd net zo gefascineerd door alles wat met de ontlasting te maken heeft als ik. Volgens de heren psychoanalytici zijn alle componisten anaal gefixeerd. Mozart was het zonder enige twijfel, maar van de anderen is in dit opzicht weinig bekend, behoudens Max Reger, die een criticus schreef dat hij, met zijn onderbroek reeds omlaag, op een zekere plaats zat waar hij diens recensie nog voor hem had, maar spoedig achter hem zou hebben.

Op de bewaarschool wilde niemand naast mij in de bank zitten omdat ik volgens zeggen van mijn klasgenootjes 'zulke verschrikkelijke scheten liet'. Veel droever nog was dat ik herhaaldelijk naar de wc moest voor een zogeheten grote boodschap, maar dat juffrouw Dekwaaisteniet als ik naar achteren was geweest voor mijn eerste grote boodschap, aanvankelijk niet wilde geloven dat zich soms al na een half uurtje een tweede grote boodschap aandiende. 'Daarnet ben je al wezen drukken!' riep ze dan vol ongeloof. Dan probeerde ik een en ander op te houden, maar meestal mislukte dat en 'deed ik het in mijn broek', zoals mijn moeder het plastisch verwoordde, en ja, dan verspreidde zich uiteraard een verschrikkelijke stank door de Damschool. Nog zie ik haarscherp voor me hoe dan mijn klasgenoten de een na de ander hun prik-, plak- en kleurwerkzaamheden staakten. Met priemende vingers wezen ze mijn richting uit en vooral de meisjes barstten niet zelden in tranen uit.

Uiteindelijk – maar toen waren we al maanden verder – drong het tot juffrouw Dekwaaisteniet door dat zich soms een peuter manifesteert die wel drie, vier keer op een dag moet poepen. In de eerste klas van de lagere school wilde juffrouw Van der Meulen ook niet geloven dat ik, als ik naar achteren was geweest voor een grote boodschap, soms vrij spoedig weer opnieuw moest. Dus deed ik het dan uiteindelijk noodgedwongen ook op de Dr. Abraham Kuyperschool 'in de broek', met als gevolg weer diezelfde taferelen van vertwijfelde klasgenoten met priemende vingers en grote tranen. De hoofdonderwijzer is eraan te pas gekomen en heeft mijn moeder aangeraden mij door bevoegde artsen te laten nakijken en reviseren, 'want dit is echt niet normaal, mevrouw 't Hart'. Ook maande hij mijn moeder aan mijn dieet aan te passen. 'Geen bruine bonen meer,' was zijn advies, waarmee hij mij bijna beroofde van mijn favoriete gerecht, ware het niet dat mijn moeder dit advies goddank naast zich neerlegde.

Toch is, hoe weinig normaal wellicht ook, een en ander nooit veranderd. Zes, zeven keer per dag een grote boodschap heeft er hoogstwaarschijnlijk mede voor gezorgd dat ik nog altijd maar 76 kilo weeg, terwijl ik toch vrijmoedig en onbekommerd kan toetasten, mits niet gevoed door mijn gezette tante te Leiderdorp. Dankzij deze tamelijk unieke constellatie weet ik ook haarscherp wat ik moet vrezen en mijden om niet nog vaker op de wc te belanden. Zo ben ik in staat iedereen die een van de belangrijkste leefregels uit het dovemansorendieet ter harte wil nemen ('Niet ontberen, maar laxeren') van advies te dienen inzake de voedingsmiddelen die weinig aanzetten omdat zij grotendeels weer worden uitgescheiden.

Doctor Sternheim beveelt summier vruchten en roggebrood aan. Niet alle vruchten echter zijn in gelijke mate laxerend. Bovendien speelt ook de rijpingstoestand van een vrucht een grote rol. Ook roggebrood heb je in soorten en maten, en het is spijtig dat je bij warme bakkers doorgaans alleen maar van die kleine pakjes roggebrood kunt kopen, waarbij het vermoeden bestaat dat het roggemeel met stroop is bewerkt. Veel beter is écht roggebrood zoals je dat hier en daar bij een reformwinkel kunt krijgen, of op de Leidse woensdagmarkt bij de broodkraam tegenover de Waag. Niettemin, ook die pakjes met voorgesneden roggebrood kunnen van harte aanbevolen worden als alternatief voor een gewone boterham. Zo'n roggeplakje vult verbazend goed, en laxeert veel beter dan zelfs het beste volkorenbrood, dus wie zowel de buik wil vullen als wil afvallen, kan zich vrijmoedig te goed doen aan roggebrood.

*

De godsvrucht

In het Bijbelboek Genesis wordt niet gespecificeerd welke vrucht de boom van kennis van goed en kwaad droeg, waar Adam en Eva niet van mochten proeven. Niettemin wist ik als peuter zeker welke versnapering het betrof: uiteraard de godsvrucht. Die vrucht bezongen wij in de psalmen en daarover werd steevast gezwijmeld in de prediking. Toen ik er uiteindelijk achter kwam dat het de godsvrucht niet geweest kon zijn, ben ik altijd gefascineerd gebleven door de vraag welke vrucht het dan wel was. In het onlangs verschenen boek Oak *gewaagt William Bryant Logan eveneens van 'onze nieuwsgierigheid betreffende de identiteit van de Boom van Goed en Kwaad'. Hij somt de mogelijkheden op: 'eiken, jeneverbessen, pistachebomen, esdoorns en wilde peren'. Toch kun je je moeilijk voorstellen dat Eva door een eikel verleid is, of door een pistachenootje. En een wilde peer, is dat denkbaar? We moeten natuurlijk voor ogen houden dat er in den beginne nog geen sprake was van rasveredeling, van enten, van fruitbomenteelt. Alle vruchten destijds waren wilde vruchten, dus van die akelig wrange, vrijwel oneetbare gifgroene appeltjes, of piepkleine, al even wrange, keiharde pruimpjes.*

Heus, een sappige schone van Boskoop kan er niet aan de boom van kennis van goed en kwaad gehangen hebben, noch zo'n verrukkelijke conferencepeer. Het was een en al armoe wat je toen aan vruchten had. Des te merkwaardiger is het dus dat Eva zich door de slang heeft laten overhalen een hap te nemen. Maar de overlevering wil dat de verboden vrucht zo'n wild, wrang appeltje was, dus daar zullen we het gemakshalve maar op houden.

Wat ook uiterst merkwaardig aandoet, is het feit dat God wel verordineert dat er van die boom niet gegeten mag worden, maar niets zegt over de nogal griezelige juridische valkuilen die dit verbod met zich meebrengt. Vruchten rijpen af en vallen uiteindelijk op de grond. Mochten Adam en Eva ook niet van zo'n valappeltje proeven? Dat lijkt logisch uit het verbod voort te vloeien. Maar mijn bokje neemt vaak genoeg een valappel in de bek, om het, aangezien het toch te groot blijkt te zijn om te behappen, verderop weer uit te spuwen. En dan ligt die verboden vrucht onder een andere boom. Wat nu als Adam of Eva nietsvermoedend zo'n getransporteerd appeltje hadden genuttigd? Toch zondeval? Geenszins ondenkbaar is ook dat zij een geitenbokje geslacht zouden hebben met in zijn maag nog een vrijwel onverteerde vrucht van de boom van kennis van goed en kwaad. Een herkauwer slikt zijn voedsel onverteerd in om het later alsnog tussen zijn tanden fijn te malen. Verorber je een bokje met een onverteerd appeltje in zijn maag, dan snoep je wel degelijk van de boom van kennis van goed en kwaad. Was er ook dan sprake geweest van zondeval? Enige verbodstoelichting was bepaald niet overbodig geweest.

Als Adam en Eva uit het paradijs zijn verdreven, posteert God een engel bij de ingang met een vlammend zwaard. Toen onze onderwijzer dat in 1953 vertelde, stak een van mijn klasgenoten zijn vinger op en zei: 'Hoe kan dat nou, meester, het zwaard moest toen toch nog uitgevonden worden?' Waarop de meester, enigszins uit het veld geslagen door zo'n slimme vraag, na lang nadenken aarzelend antwoordde dat dat zwaard uit de hemel afkomstig moest zijn geweest. Waarop ik, omdat ik ook slim uit de hoek wilde komen, meteen riep: 'Maar in de hemel is het toch een en al vrede, daar ligt de leeuw toch naast het lam, daar heb je toch geen zwaarden nodig?' En Govert Gunst wilde weten: 'Hadden ze toen in de hemel dan ook al pistolen, meester?' (Veel later heeft Govert Gunst mij toevertrouwd: 'Toen al heb ik vrij scherp beseft dat we vreselijk bezwendeld werden'.) Maar als je nog nooit een zwaard hebt gezien, of daar nooit over hebt gehoord, kun je onmogelijk bevroeden waar dat voor dient. Wat kan God dan met dat vlammende zwaard beoogd hebben? Hij had evengoed een engel met een uzi kunnen neerzetten, of met een busje pepperspray en een gummiknuppel. Ook daar zouden Adam en Eva niets van begrepen hebben.

Achteraf gezien kun je je erover verbazen dat wij, leerlingen van de Dr. Abraham Kuyperschool, die sprekende slang uit het zondevalverhaal voor zoete koek slikten, maar dankzij dat vlammende zwaard onze eerste twijfelschreden hebben gezet. Want wat onze onderwijzer Mollema ook naar voren bracht om aannemelijk te maken dat men in die vredige hemel reeds ruimschoots beschikte over gruwelijke wapens die op aarde nog uitgevonden moesten worden, wij bleven ons daarover verwonderen. Uiteindelijk heeft Mollema hoofdonderwijzer Cordia erbij gehaald om ons tot bedaren te brengen. Zijn verlossende woord luidde dat het zwaard niet uit de hemel stamde, maar door God ter plekke werd geschapen. Met dat rietkluitje werden wij naar huis gestuurd.

*

Wat vruchten betreft staan mango's en kiwi's op eenzaame hoogte. Ook mango's heb je in soorten en maten, de mango's uit Mali zijn verpletterend lekker en de Alphonso-mango's uit Ghana zijn ronduit hemels, maar sommige andere mangosoorten laxeren nog beter. In die malle tabellen van de glycemische index komen mango's er niet best af, maar laat je daar niet van weerhouden om als je eten en afvallen wilt combineren, zo vaak mogelijk een mango te nuttigen. Zo'n mango zit vol vitamine C, hij bevat ook caroteen, en wellicht nog tal van onontdekte, niettemin onontbeerlijke mineralen en flavonoïden, en in ieder geval veel vezels die de vertering optimaal aanjagen.

Helaas doemen wat mango's betreft twee problemen op. Het eerste probleem is dat je aan de buitenkant van een mango niet goed kunt zien of hij rijp is. De meeste mango's zijn helaas nog groen of reeds rot. Zelden tref je er een die precies goed rijp is. Maar voor de laxerende werking maakt het weinig uit of zo'n mango groen, rijp of rot is. In alle drie de gevallen heb je er enorm veel baat bij. Plus dat zo'n mango geweldig vult. Het is een supervrucht. En zo'n Alphonso-mango is ronduit goddelijk. Die hing vast en zeker in het paradijs aan de boom waar Adam en Eva niet van mochten eten.

Het tweede probleem is dat zo'n mango van ver komt en dus met een vliegtuig hierheen getransporteerd wordt. Bij aanschaf daarvan draag je bij aan milieuvervuilend vliegverkeer. Lucas Reijnders is daarom van mening dat je van mango's af moet blijven. Een moeilijk dilemma. In een land als Burkina Faso 'kunnen onze kinderen naar school omdat wij geld verdienen met de uitvoer van mango's naar Nederland', vertelde mij een schrijver uit dat land die ik in Zweden op de Göteborg Book Fair ontmoette. De aanschaf van een mango zie ik dus als een vorm van ontwikkelingshulp. Overigens ben ik, al zou ik elke dag dolgraag drie mango's eten, terughoudend wat mango's betreft, want helaas, één overrijpe mango en ik breng enige tijd later urenlang op de wc door.

Voor de kiwi, ook al zo'n laxeerkampioen, gelden de bezwaren van de mango niet. Hij hoeft niet van ver te komen (ik heb inmiddels al een kiwistruik in de tuin die het fantastisch doet) en zijn glycemische index is laag (maar ja, die GI zegt me weinig). Ik ben er dol op, maar ik moet er uiterst voorzichtig mee zijn. Als ik met drie kiwi's zou ontbijten, zoals Sonja Bakker aanbeveelt, kan ik permanent mijn intrek nemen in het kleinste kamertje.

Kunnen mango's en kiwi's wat hun laxerende eigenschappen betreft de koningen der vruchten genoemd worden, de koningin is uiteraard de pruim. De laxerende eigenschappen daarvan worden van oudsher geroemd, maar vergeleken met mango en kiwi kleeft er toch één nadeel aan de pruim. Hij laxeert niet, hij veroorzaakt diarree. Althans in mijn geval. En diarree, dat is echt niet de bedoeling. Daarmee raak je te veel vocht kwijt. En wellicht ook nog tal van andere zaken, zoals mineralen en eiwitten en onverzadigde vetzuren die door de woeste modderstroom worden meegesleurd. Bij diarree raakt je hele darmstelsel ontregeld en komt alles eruit. Zo'n pruim sleurt ook de unieke aminozuren uit de kikkererwt mee naar buiten. Overigens geldt dat waarschijnlijk niet voor ieders darmstelsel, het mijne staat nu eenmaal zodanig afgesteld dat een reine-claude al een ontlastingslawine veroorzaakt. Veel andere mensen kunnen ongestraft pruimen consumeren en optimaal profiteren van de fantastische laxerende eigenschappen daarvan.

Sterk vergelijkbaar met de mango wat laxerende eigenschappen betreft is de doerian. Die kun je echter maar zelden in Nederland krijgen, en de consumptie daarvan blijkt, omdat de stank van een aangesneden doerian ondraaglijk is, zo'n waagstuk te zijn dat ik mij er maar eenmaal in mijn leven aan gewaagd heb. Omdat het daar toch al vreselijk stinkt, heb ik hem aangesneden in mijn bokkenstalletje, maar zelfs nu, zoveel jaar later, snuif ik daar af en toe opeens weer dat doerianluchtje op en dan wankel ik tussen de geurende geitenkeutels onpasselijk naar buiten.

Net wat minder laxerend dan de mango is de papaja. Op de Leidse markt deelde een stokoud dametje mij mee: 'Eet een papaja en je leeft een dag langer.' 'Als dat waar is,' zei ik, 'zul je nooit sterven als je elke dag een papaja nuttigt.' 'Dat klopt,' zei ze, 'maar je kunt niet elke dag een papaja krijgen.'

Wat smaak betreft is de papaja, vergeleken met de mango, nergens. Je moet hem opfleuren met uitgeknepen limoensap om hem nog naar iets te laten smaken, maar zijn laxerende eigenschappen zijn heel behoorlijk. Hij overtreft zeker onze eigen appel. Dus ik beveel hem van harte aan. Of hij na consumptie een extra dag erbij garandeert, waag ik te betwijfelen, maar al dat mooie caroteen en al die vitamine C erin lijken mij niet te versmaden.

Mijn ouders zagen er nauwlettend op toe dat ik nooit appels at. Ook bij mij thuis waren ze beducht voor de gasvormige gevolgen daarvan. Met de appel balanceer ik ook weer op de grens van prettig laxeren en duurzame diarree. Dus ik ben er voorzichtig mee, maar het spijsverteringskanaal van de modale dikzak kan de appel niet ontberen. Twee per dag op z'n minst. Spijtig is dat je thans wat appels betreft niet veel keus meer hebt. Waar zijn de Groninger kronen gebleven? Waar de notarisappel? Waar de schone van Boskoop? Waar de bellefleur? Waar de cox en de jonathan? Ik heb ze allemaal nog in mijn tuin staan, dus ik koester deze rassen, want het aanbod in winkels is bedroevend. Nepappels zoals de elstar, de golden delicious (hij zou toch beter de melige delicious kunnen heten) en de jonagold hebben de vorstelijke notarisappel en de schone van Boskoop verdrongen. Maar ook die nepappels laxeren, en daarmee kun je dus het buikje vullen zonder enige angst voor vetvorming.

Goed wassen, zo'n appel, nooit ofte nimmer schillen, want juist vlak onder de schil zitten de nuttige pectinen en vele andere heilzame stoffen. Bovendien dragen die schillen bij aan de laxerende eigenschappen. Wees voorts niet beducht voor plekjes in de appel of voor een beetje wormstekigheid. Bedenk dat het insect dat juist deze appel gekozen heeft om daar zijn larve in af te zetten, feilloos de geurigste, smakelijkste appel uit de voorraad aansprak. Wees juist blij met wormstekige appels. Wormstekigheid is bovendien het beste bewijs dat die appels niet met allerlei griezelmiddelen bespoten zijn. Als je hem opensnijdt en er komt zo'n zwarte tor uit wandelen met een gewei, dan zit je goed. Zelf consumeer ik als ik een appel eet, ook werkelijk de hele appel, inclusief klokhuis en kontje. Ik heb het altijd heel vreemd gevonden dat mensen zoveel overlaten van een appel. Waarom? Alle onderdelen zijn eetbaar, ook dat vaak juist zo heerlijke klokhuis met zijn malse pitjes erin.

Ook peren laxeren. Bij mij althans. Hanneke beweert altijd bij hoog en bij laag dat peren juist stoppen. Bij haar misschien wel, maar bij mij beslist niet. Voor een echt lekkere peer, zo'n sappige conference of een triomphe de Vienne of een doyenné du Comice (alleen die namen al!), doe ik een moord. Wil je een heerlijk voorgerecht serveren waar je gasten van opkijken? Geef dan een halve doyenné du Comice waarbij je het holletje dat is ontstaan omdat je het klokhuis eruit verwijderd hebt, vult met fijngeraspte Parmezaanse kaas. Op voorhand zeg je: 'Dat kan onmogelijk delicaat uitpakken', maar de praktijk wijst uit dat de combinatie een unieke smaak oplevert. En ook hier word je beslist niet zwaar van.

Uiteraard laxeert ook al het zachte fruit: bessen, aardbeien, frambozen. Veruit de bijzonderste laxerende eigenschappen heeft de zwarte bes, die wat hoeveelheid vitamine C betreft ook op eenzame hoogte staat. Maar de meeste mensen vinden zwarte bessen rauw niet lekker. Ik wel, maar ze laxeren bij mij niet, ze veroorzaken helaas ook diarree. En dat gaat te ver. Dus ik consumeer ze met mate. Elke dag neem ik als aan mijn boompjes in de tuin de bessen rijp beginnen te worden, zo nu en dan een handjevol.

Gelukkig kan ik van de aalbes iets meer hebben, want o, de aalbes, wat is dat, net als de kruisbes, toch een verrukkelijk hapje. Hetzelfde geldt natuurlijk voor de bosbes, waarvan een tijdlang beweerd werd dat dat de gezondste vrucht was. Tegenwoordig is die eerste plaats overgenomen door de framboos. Een mysterie blijft op grond van welk degelijk onderzoek men switchte van bosbes naar framboos. Jammer dat zo'n framboos lang zo lekker niet is als een aardbei. Hanneke is dol op frambozen, laat er zowat niet één voor mij over als ze in onze tuin rijp beginnen te worden. Bessen weigert ze daarentegen resoluut. Wat toch merkwaardig is, want ook merels en lijsters zijn er dol op, terwijl ze de frambozen weer laten hangen.

Kersen laxeren ook voortreffelijk. Spijtig is dat kersen wel erg veel suiker bevatten. Dus het zou kunnen zijn dat je daar toch dik van wordt als je er veel van eet. Ik ben althans bij kersen tot enige voorzichtigheid geneigd, al vind ik ze verrukkelijk.

Ten slotte de aardbei. Dat is geen vrucht, maar een verdikte bloembodem. Dat kan mij niet schelen, want lekker is hij wel, als hij zongerijpt is en niet van ver komt, waar hij enkel geteeld werd om groot te groeien, niet om smakelijk te worden. Aardbeien zitten stampvol vitamine C. Ze laxeren vorstelijk. Ik hoef ze niet aan te bevelen, want iedereen is er dol op. Maar ja, als je ze met geklopte slagroom en suiker serveert, hef je de laxerende eigenschappen niet op, en toch word je er dik van. Of room 'drakengift' is, zoals doctor Sternheim beweert, staat te bezien, maar zelfs bij mij veroorzaakt slagroom terstond gewichtstoename, doctor Atkins ten spijt, dus ik zou er toch maar voorzichtig mee zijn als het overgewicht wenkt. Wel aardbeien maar geen slagroom, is mijn advies.

Hebben we nu alle vruchten gehad? Goddank nog lang niet. Er zijn nog honderden andere vruchten, de adembenemende abrikoos, zowel vers als gedroogd (mits niet gezwaveld), de tere perzik, de robuuste nectarine (beide vorstelijk laxerend), de lychee, ook heerlijk, de verse vijg (superieure laxerende kwaliteiten) en natuurlijk nog een heel ander soort vruchten, de peulvruchten. Maar die verdienen dankzij hun uitnemende eigenschappen een apart hoofdstuk.

Van sommige vruchten zijn de zaden eetbaar: noten! Dankzij hun stevige consistentie zijn ze beter te bewaren dan vruchten. Eertijds, in de vroegste geschiedenis der mensheid, toen wij, net als thans de spookdiertjes op Madagaskar, als *midgets* een onopvallend bestaan leidden, vormden de vette, eiwitrijke noten, mede omdat ze niet zo snel wegrotten als sappiger vruchten, waarschijnlijk ons hoofdvoedsel. Net als eekhoorns hebben we ze wellicht verstopt om in tijden van nood iets achter de hand te hebben. Als wij in de schaduw van de dinosauriers als onopgemerkte spookdiertjes miljoenen jaren van vruchtenzaden geleefd hebben, zijn wij minstens zo goed aangepast aan dat soort voedsel als koalabeertjes aan eucalyptusbladeren. Akkoord, dit is een speculatieve veronderstelling, maar bepaald minder speculatief dan het paradijsverhaal waarmee de Bijbel opent. Niets bekomt de mens beter dan de vele soorten noten die ons ter beschikking staan. Daarom valt het moeilijk te begrijpen waarom noten niet veel prominenter figureren in onze menu's en dat, zoals Kees Kalkman zegt, 'de commerciële productie van noten in Nederland verwaarloosbaar is'. In al onze parken, bossen, tuinen zouden walnotenbomen kunnen staan. In walnoten vinden we dezelfde onverzadigde omega-3-vetzuren als in vette vissen. We zouden elke dag een handje amandelen moeten consumeren. Elke dag ook wat cashewnoten, hazelnoten, pistachenoten, macadamianoten (verrukkelijk!), pecannoten, paranoten. Eventueel ook een enkele tamme kastanje, al zit daar vrij veel zetmeel in. Dit was waarschijnlijk ooit ons basisvoedsel. Hiermee zijn wij groot geworden in de eonen die achter ons liggen. Mede dankzij de walnoten, die zo op hersenen lijken, hebben wij wellicht ons brein verkregen.

Veronachtzaam ook pitten niet. Elke dag wat pijnboompitten en zonnebloempitten en elke dag ook, zeker als je van het mannelijk geslacht bent, een grote eetlepel pompoenpitten. In pompoenpitten zitten unieke verbindingen die onze voorstanderklier onder de duim houden. Helaas heeft de prostaat de neiging om groter te worden naarmate je ouder wordt, en dat leidt er uiteindelijk toe dat je niet meer kunt klateren als je moet wateren. De indianen wisten al dat de dagelijkse consumptie van een handjevol pompoenpitten prostaatklachten kan voorkomen. Dat je, zoals je her en der leest, ook hitsig en sexy wordt van pompoenpitten lijkt mij een fabel, maar zo niet, dan is het mooi meegenomen. Ofschoon ook geldt: wie wil afvallen, behoeft niet direct een afrodisiacum. De ervaring leert dat mijn vaders rijmpje 'Wie vrijt, slijt, maar wie vrijt met zin, wordt er dik tegenin' niet als een onzinnige volkswijsheid ter zijde kan worden geschoven. Liefdesverdriet levert doorgaans wel vermagering op, hoewel er ook treurenden zijn die hun smart lenigen met troostspijs. Die dan weer omgezet wordt in datgene wat de Duitsers zo fraai *Kummerspeck* noemen.

Peulvruchten

Waarom vormen peulvruchten de hoekstenen van het dovemansoren-dieet? Uiteraard in de eerste plaats omdat peulvruchten berucht zijn vanwege hun laxerende vermogen. In de tweede plaats omdat peulvruchten vrij veel eiwit, een hanteerbare hoeveelheid koolhydraat en, op de pinda na, weinig vet bevatten. Sommige peulvruchten, zoals de sojaboon (40 procent eiwit!), bevatten alle voor de mens onmisbare aminozuren. Acht van de twintig aminozuren die overal in natuurlijke voedingsmiddelen voorkomen, kunnen wij zelf niet opbouwen uit aangeleverde andere aminozuren of uit ingewikkelder verbindingen zoals eiwitten die uit aminozuren zijn opgebouwd. Die acht aminozuren moeten wij uit ons voedsel halen. Ze worden ons probleemloos geleverd door dierlijk eiwit, maar ja, er zijn zoveel voortreffelijke redenen om geen vlees meer te eten dat wij voor die acht moeten omzien naar andere aminozuurleveranciers. En dan komen vanzelf peulvruchten in beeld. Spijtig is echter dat peulvruchten tamelijk veel koolhydraten bevatten. Omdat er weinig twijfel over kan bestaan dat corpulentie vooral door koolhydraten wordt veroorzaakt, moeten dikzakken matigheid betrachten in geval van peulvruchten. Vooral erwten, linzen en tuinbonen bevatten veel koolhydraten. Maar ja, peulvruchten leveren wel meer eiwitten dan andere plantaardige voedingsmiddelen.

Overigens hebben we maar opmerkelijk weinig eiwit nodig, dus peulvruchten kunnen ruimschoots voorzien in die geringe behoefte. Helaas beschikken dierlijke eiwitten over een beter op onze behoeften afgestelde onderlinge verhouding van de aminozuren die wij zelf niet kunnen synthetiseren, dan peulvruchten, maar niet getreurd, met (soja)bonen, linzen, (kikker)erwten, raasdonders, flageoletten, adzuki, oerdi en bambara en al die andere heerlijkheden kun je in principe aan alle aminozuren komen die je nodig hebt. En wat bonen te weinig bevatten, het aminozuur methionine bijvoorbeeld, bevat rijst in overvloed, zodat je er precies genoeg van binnenkrijgt als je ze gecombineerd eet. Plus dat rijst weer te weinig lysine bevat, maar bonen erg veel. Samen vormen ze dus vorstelijk voedsel.

Bij peulvruchten krijg je er, naast die essentiële aminozuren, ook nog eens geweldige vezels bij die voor een vlotte stoelgang zorgen, wat van vlees nu niet bepaald gezegd kan worden. Vegetarische drollen ogen beter en stinken minder dan de rottende, gistende, onwelriekende ontlastingsproducten van de vleeseter.

Akkoord, ik geef toe dat de verteringsproducten van peulvruchten naast een vlotte stoelgang ook garant kunnen staan voor dwarrelwinden, scheten en veesten in al dan niet vochtige uitmonsteringen, maar daar bleek zelfs voor mij, die van nature na consumptie van peulvruchten wordt getransformeerd tot gasfabriek, een patentoplossing voor te zijn, die ik verderop zal onthullen.

De meeste peulvruchten zijn eerst na Columbus vanuit alle windstreken in Europa aangeland, maar dat geldt niet voor de oerpeulvrucht, de troost van de amateurtuinier: de tuinboon. Reeds tweeduizend jaar voor Christus werd hij hier in de drassige gronden geteeld. Van oudsher heeft hij ook altijd een verbazend slechte reputatie gehad. Die aloude oerafkeer duikt in nieuwe vermomming op bij hedendaagse dieetgoeroes. Montignac moet niets van de tuinboon hebben, en in die malle glycemische indextabellen scoort hij onveranderlijk hoog.

In zijn meesterwerk *Planten voor dagelijks gebruik* vertelt C. Kalkman: 'In klassieke volksgebruiken en volksverhalen is de tuinboon niet zelden verbonden met slechte zaken, dood en narigheid. Dat heeft misschien te maken met een ziektebeeld, favisme, een soort allergie die vooral bij de mannelijke bewoners van het Middellandse Zeegebied voorkomt. De acute bloedarmoede die bij de patiënten optreedt kan zelfs tot de dood leiden. De genetisch vastgelegde gevoeligheid berust op een gebrek aan een dehydrogenese dat bij normale mensen een in de tuinboon aanwezig giftig alkaloïde inactiveert. Sommige mensen zijn zo gevoelig dat ze zelfs een verblijf in een bloeiend tuinbonenveld, dus het inademenen van wat pollen, niet kunnen verdragen. Vandaar, naar men denkt, het gezegde "in de bonen zijn".'

In haar wonderbaarlijke kookboek *The Cranks Bible. A timeless collection of vegetarian recipes*, zegt Nadine Abensur: 'Ten aanzien van deze boon was men eeuwenlang van vrees en afschuw vervuld. Men vreesde lang dat de ziel, samen met de wind die deze boon veroorzaakt, het lichaam kon verlaten.' Om daar dan aan toe te voegen: 'Dit gezegd zijnde blijven zij voor mij, en vele anderen, een bron van verrukking.' Waarop ze vervolgens de heerlijkste tuinbonenrecepten presenteert die ik ooit ben tegenkomen, onder andere een tuinbonenpilaf die beslist niet thuishoort in het dovemansorendieet, want idioot smakelijk. En dat is natuurlijk niet de bedoeling.

Tuinbonen zijn fantastisch. Ze komen altijd goed op, ze laten je nooit in de steek. Je kunt (en moet) ze al heel vroeg leggen, want kou noch regen noch vorst deert ze. Als ze vroeg zijn gelegd, hoef je ook niet bang te zijn voor die akelig zwarte luizen die zo'n hele plant van top tot teen bedekken. Juist omdat ze begin februari de grond in moeten, heb je al tuinboontjes in het vroege voorjaar. En als ze nog jong, klein en lichtgroen zijn, smelten ze op de tong. De tuinboon waar Montignac tegen ageert, zijn de veel te ver doorgegroeide, oude exemplaren met grote grijze goliathbonen. Hoewel, zelfs daarmee valt te leven, want je kunt oude tuinbonen dubbel doppen. Haal die leerachtige grijze schil eraf, en je vindt daaronder twee halve groene zaadlobbetjes waar je – grijp naar mevrouw Abensur – de heerlijkste gerechten mee kunt vervaardigen.

Misschien dat die aloude afkeer van de tuinboon, met dat vermakelijke nieuwe jasje aan bij hedendaagse Montimaniakken, ook simpelweg te verklaren valt uit het feit dat kinderen een gloeiende hekel hebben aan tuinbonen. Ook ik haatte ze indertijd, terwijl ik toch minder kieskeurig was dan de meeste andere kinderen. Maar een kind proeft beter dan een volwassene, en met name zijn smaakpapillen voor bittere stoffen staan scherper afgesteld, dus de tuinboon is dan ronduit een aanslag. Hij smaakt nu eenmaal licht bitter. Maar er zijn vele rassen, en vooral de rassen met groene boontjes zijn nauwelijks bitter, mits piepjong geplukt. Zulke jonge boontjes hoef je ook niet te koken, die blancheer je even, en ze zijn dan adembenemend. Wedden dat hun glycemische index dan opmerkelijk laag is? Als de GI van tuinbonen al ooit gemeten is, dan zeker niet van zeer jonge tuinboontjes die je haast rauw verorberen kunt.

Oeroud zijn ook de linzen. Ezau verkwanselt in Genesis 25 zijn eerstgeboorterecht voor een schotel linzenmoes, en dat terwijl van Ezau gezegd wordt: '[...] het wildbraad was naar zijn mond' (vast en zeker bloedgroep 0, goeroe Peter D'Adamo). In de Indiase keuken figureren dal (linzen) en rijst als de twee basisgerechten. Jammer dat het ook een keuken is met veel meelspijzen (papadams, chapati's, samosa's) en veel mierzoete nagerechten, want linzen en rijst vormen een voortreffelijke combinatie. Linzen bevatten opmerkelijk veel eiwit (25 procent), vrij veel koolhydraten (59 procent) maar nauwelijks vet (0,5 procent). Ze vullen geweldig, ze zijn niet duur, ze laxeren fantastisch.

Het valt dus niet te begrijpen waarom wij zo weinig linzen eten. Stoof ze met wat blaadjes basilicum in gepureerde tomaten, en je slikt er je tong bij in. Of stoof ze, als je dan toch vlees wilt eten, samen met ui, knoflook, tijm en in kleine blokjes gesneden lamsvlees, en je hebt een gerecht waar zelfs Salomo in al zijn heerlijkheid nooit weet van heeft gehad. Nadine Abensur laat zien wat een verrukkelijke gerechten je met linzen kunt maken. 'Je kunt linzen zien als proletariërs, en eekhoorntjesbrood als aristocraten, maar o, o, als je ze combineert!'

Waasdorp van het alfadieet is tegen peulvruchten, want die moet je eerst weken, voor je ze kunt koken. Linzen hoef je echter niet te weken. Lees in *De Dikke Van Dam* hoe ze je behandelen moet. 'Linzen,' aldus Van Dam, 'zijn het eten voor de armen.' Dat is natuurlijk ook de reden waarom van oudsher op linzen (en bonen en erwten) is neergekeken. Houd echter voor ogen: wie linzen, boon en erwt versmaadt, verwerft een grote kledingmaat.

De noodzaak om peulvruchten te weken vloeit logisch voort uit het feit dat zij eerst gedroogd werden. Maar als ze vers geplukt zijn, hoef je ze niet te weken. Kakelverse doperwtjes en kakelverse kapucijners hoef je alleen maar eventjes te blancheren. Vele hedendaagse doperwtensoorten, de sugar snap bijvoorbeeld, kun je zelfs rauw eten. Kweek je sperziebonen die je wat te lang laat doorgroeien, dan zijn de peulen niet lekker meer, maar de jonge, witte, nog groenachtig glanzende boontjes kun je in allerlei salades verwerken als je ze heel even blancheert. Zelfs jonge sojaboontjes hoef je amper te koken. En bij al die jonge boontjes hoef je niet bang te zijn dat je ervan gaat ruften. Ze laxeren geweldig, maar er is geen uitstoot van darmgas. Ziedaar de patentoplossing waar ik eerder over sprak. Verorber peulvruchten als ze nog in een juveniel stadium verkeren, dan heb je geen last van winderigheid.

Dat geldt zelfs voor de unieke sojaboon met zijn 40 procent eiwit, 19 procent vet en slechts 24 procent koolhydraat. Echt een boontje voor gezondheidsfreaks. De lof ervan wordt dan ook uitbundig gezongen in veganistische literatuur. Steevast wordt erop gewezen dat degenen die sojaboontjes savoureren, zoals de zevendedagsadventisten en de Japanners, opmerkelijk oud worden. Sojaproducten als tofoe (tahoe) en tempé worden aanbevolen als wonderbaarlijke vleesvervangers. Spijtig blijft natuurlijk dat het sojaboontje, behoudens in het geval dat je het nog mals en groen van je akkertje haalt, in wezen domweg niet lekker is. Dat hoeft ook niet bij het dovemansorendieet, maar zelfs 'niet lekker' is een understatement. Het sojaboontje is doodgewoon vies. Vooral sojaboontjes die volgroeid geoogst zijn, vervolgens te drogen zijn gelegd, en daarna weer geweekt worden, zijn apert onsmakelijk. Plus dat zulke boontjes je darmstelsel in een luisterrijk chemisch retort transformeren waarin ongelofelijke gassen worden gesynthetiseerd. Ga je een paar uur nadat je sojaboontjes hebt gegeten in een warm bad liggen, dan ontspant je lichaam zich, inclusief je darmstelsel, en verandert zo'n bad in een bruisende whirlpool. Akkoord, het is de goedkoopste methode om aan een whirlpool te komen, maar wie zit te wachten op een whirlpool die dampt als een moeras waarin zwavelwaterstof wordt aangemaakt?

Terwijl het sojaboontje ronduit vies is, en ook sojamelk een onaangenaam bijsmaakje heeft, blijken tofoe en tempé daarentegen juist weer naar helemaal niets te smaken. Het zijn wezenloze, kleffe sojaproducten, waar je allerlei kunststukjes mee moet uithalen om ze een beetje smaak te verlenen. Op het internet vond ik een website waar werd gewaarschuwd voor tofoe. Daar zouden je hersenen van verweken. Of het waar is betwijfel ik, maar het was toch prettig om het te lezen, want juist een vage twijfel aan zo'n voedingsmiddel maakt dat je het maar liever links laat liggen. Bij ons op tafel dus geen tofoe meer. Er komen slechts zelfgekweekte, jong geoogste sojaboontjes in aanmerking. Die kun je in de soep mee laten koken en dan merk je er weinig van. Als het sojaboontje inderdaad zo gezond is als door onder anderen veganisten wordt beweerd, is het bepaald spijtig dat het zo'n straf is om het te eten.

Dat geldt niet voor verschillende andere boontjes, de schattige adzuki bijvoorbeeld, met zijn mooie groene uiterlijk, de oerdi, die vooral in India veel gegeten wordt, de mungboon, waarvan wij gek genoeg alleen de kiemplanten eten (taugé, dat terecht rijmt op vitamine c), de bambara uit Afrika, die net als de pinda onder de grond rijpt en die geroosterd zo lekker is, de ogenboon, die we als kousenband eten als hij nog niet volgroeid is. Allemaal boontjes die wij nauwelijks eten. Wat zijn we toch oerstom dat we zoveel fantastische voedingsmiddelen onbenut laten, terwijl we ons wel vergrijpen aan de macabare producten uit de bio-industrie.

Wellicht de bijzonderste peulvrucht is de kikkererwt. Misschien komt er verandering in als de opwarming van de aarde flink doorzet, maar je kunt de kikkererwt in ons klimaat niet telen. Ik zou hem zo graag eens vers eten. Ook in zuidelijker streken is hij moeilijk te telen en het is dan ook een raadsel dat hij desondanks met verbeten hardnekkigheid al eeuwenlang gecultiveerd wordt. Er is een theorie die zegt dat dat komt doordat de telers merkten dat zijzelf, hun vrouwen en hun kinderen enorm floreerden als zij kikkererwten aten. Dat kan zijn, maar niemand eet alleen maar kikkererwten, en als je allerlei voedingsmiddelen tot je neemt, is het toch erg moeilijk om heilzame effecten aan één speciaal voedingsmiddel uit je dieet toe te schrijven.

De kikkererwt met zijn hoge tryptofaangehalte is een wonderbaarlijk voedingsmiddel, waarvan vrouwen vruchtbaarder worden, waardoor kinderen voorspoediger opgroeien en waardoor allen zich beter voelen omdat dankzij de kikkererwt ook het serotoninegehalte in de hersenen stijgt, en van serotonine in je brein word je erg opgewekt. Voeg daarbij dat de kikkererwt oftewel garbanzo bepaald smakelijk is en dat je er voortreffelijk meel van kunt maken, en des te onbegrijpelijker lijkt het dat die kikkererwt althans in mijn jeugd nimmer op mijn bordje verschenen is. Ach, al die gemiste tryptofaan! Was ik daarmee groot geworden, wie weet hoever ik het dan geschopt zou hebben. Maar het is nooit te laat om de garbanzo alsnog aan je dieet toe te voegen. Plus dat niemand ooit dikker werd, van de kikkererwt! Van kikkererwtenmeel, mits gemengd met wat andere meelsoorten, bak je aantrekkelijke pannenkoeken. Voor die andere meelsoorten wijken wij uit naar een nieuw hoofdstuk over granen.

Te veel zetmeel

Granen vallen onder de zetmeelplanten. Van zetmeel – het woord zegt het al – word je gezet. Maar alleen in het geval van te veel zetmeel. Bij matig gebruik heb je zelfs van de drie grootste boosdoeners, patat, pasta en popcorn, weinig te vrezen. Drie granen en één zetmeelknol hebben de wereld veroverd. Die zijn, tezamen met suikerriet en suikerbiet, verantwoordelijk voor overgewicht: tarwe, rijst en mais, plus de aardappel. Maar bedenk wel dat het ook fantastische koolhydratenleveranciers zijn. En koolhydraten kun je niet ontberen.

Je kunt je afvragen hoe te verklaren valt dat van alle graansoorten juist tarwe, rijst en mais de strijd gewonnen hebben ten koste van bijvoorbeeld spelt, gierst en quinoa. Het antwoord daarop is vrij eenvoudig: tarwe, rijst en mais waren makkelijker te veredelen en te telen dan al die andere graansoorten. Spijtig genoeg, vooral in het geval van tarwe, want er is enige reden om aan te nemen dat we voor ons dagelijks brood met sommige andere graansoorten wellicht beter af waren geweest dan met tarwe. Veel mensen zijn, vaak zonder het zelf te weten, allergisch voor tarwe en tarweproducten zoals pasta, en zouden zichzelf een dienst bewijzen met bijvoorbeeld speltbrood of teffpasta.

Alternatieven voor rijst, graan nummer één op deze wereld, en het hoofdvoedsel van de helft van de wereldbevolking, zijn niet zo overvloedig voorhanden als voor tarwe. Dat is ook weer spijtig, want rijst, indien gepolijst (en in die vorm, dus als witte rijst, wordt het alom gegeten), is enkel nog zetmeel. Eet je niet veel anders, dan ligt beriberi op de loer. In India betalen families de dienstdoende brahmanen bij huwelijken en crematies en andere typisch hindoeïstische rituelen chic uit in witte rijst. Deze arme brahmanen, die zich nauwelijks ander voedsel kunnen veroorloven en dus uitsluitend leven van witte rijst, worden moddervet. Maar zelfs zilvervliesrijst, waaruit de vitamine B1 (thiamine) niet is weggepolijst, bevat behalve die thiamine niet veel meer dan zetmeel, dus ook daar word je bij overmatig gebruik uiteindelijk moddervet van.

Voor mais, zoals het na eeuwenlange veredeling is geworden, bestaan nauwelijks alternatieven. Quinoa had toen mais ontdekt werd, een alternatief kunnen zijn, maar het is moeilijk voorstelbaar dat het mais nu nog zou kunnen verdringen. Zo'n stoer, groots gewas is namelijk uniek. Reeds ruim zevenduizend jaar geleden werd in Mexico de wilde vorm teosinte verbouwd, en vanuit Mexico heeft het zich over het Zuid-Amerikaanse continent verspreid. Na de ontdekking van Amerika door Columbus heeft het zich, anders dan zoveel andere gewassen van de Inca's, warempel weten te handhaven. Zelfs de conquistadores, die een hele beschaving hebben platgewalst en in de naam van Jezus tien miljoen mensen over de kling hebben gejaagd, en wat toen nog over was met het mes op de keel tot het christendom bekeerden, hebben mais als voedingsgewas omhelsd. Sterker, het stak al snel over naar Europa, en in Nederland wordt momenteel zelfs tweemaal zoveel mais verbouwd als tarwe. Overigens is er een theorie die zegt dat mais reeds lang voor Columbus in India bekend was omdat sommige Indiase goden zijn afgebeeld met tussen hun godenvingers voorwerpen die bedrieglijk veel op maiskolven lijken.

Van maismeel kun je geen brood bakken omdat het te veel gluten bevat, en toch zijn de koolstofketens waaruit wij opgetrokken worden, in toenemende mate afkomstig van mais. Langzaam transformeren wij tot maismensen, net zoals sommige hoenders al getransformeerd zijn tot maiskippen. Al die moddervette Noord-Amerikanen zijn maisproducten. Zelfs lowcarb-propagandisten en Atkins-aanhangers die zich voornamelijk voeden met grote biefstukken en omeletten, ontlopen de unieke koolstofketens – steeds vier op een rij – van mais niet, want de Amerikaanse runderen en varkens en Thanksgivings-kalkoenen worden ermee vetgemest, en de hoenders worden ermee gevoed. De biefstukken worden in maiskiemolie gebakken. De whisky wordt uit mais gestookt. Maisstroop wordt in tal van voedingsmiddelen verwerkt.

Mais is makkelijk te kweken. Opkomend onkruid tussen de maisplanten kun je wegspuiten zonder dat je de mais zelf veel schaadt. Bovendien beschikt men al over genetisch gemanipuleerde mais die nog beter bestand is tegen onkruid- en insectenbestrijdingsmiddelen. Mais geeft per hectare een fantastische opbrengst; daar kan geen ander gewas tegenop. En je kunt er formidabele hoeveelheden mest bij kwijt. Mais slobbert alle gier op. Met reusachtige machines kan het geoogst worden, mits je het verbouwt op uitgestrekte akkers, waar zulke monsterlijke combines goed uit de voeten kunnen. Mais in zijn huidige vorm is kortom het onnatuurlijkste gewas dat wij kennen, het gewas dat zich het best leent voor kolossale monocultures. Mais is het ultieme overgewichtgewas, popcorn het ultieme symbool voor de vetzak. Popcorn ontstaat doordat bij droge verhitting van mais het zetmeel in de korrel explodeert. En wat is corpulentie anders dan een trage explosie van zetmeel in het menselijk lichaam?

Terwijl de conquistadores mais omhelsden, maakten zij korte metten met een ander gewas van de Inca's, een schijngraan: quinoa. In haar boek *The Cranks Bible* zegt Nadine Abensur dat de vroege kolonisten niets konden beginnen met quinoa, 'dus gingen ze ertoe over uitgestrekte quinoavelden af te branden'. Waar zij die informatie vandaan haalt weet ik niet, maar zeker is wel dat quinoa de tegenpool is van mais. De opmars van het laatste gewas luidde de neergang van het eerste in. En dat terwijl quinoa en mais toch in zoverre op elkaar lijken dat ook bij quinoa als je het verhit het piepkleine korreltje als het ware explodeert. Bovendien kan ook de quinoaplant wel twee meter hoog worden en oogt hij net zo robuust als een maisplant.

Quinoa behoort tot de ganzevoetfamilie. Met tal van andere gewassen uit die familie voeden wij ons: spinazie, rode biet, suikerbiet, of zouden wij ons kunnen voeden, zeekraal bijvoorbeeld, of hebben wij ons in het verleden gevoed: tuinmelde. Dat laatste gewas kweek ik zelf weer volop, mij erover verbazend dat een groente met zo'n fijne, fluweelachtige smaak in de vergetelheid is geraakt.

Quinoa, ook wel gierstmelde genoemd, bevat alle acht aminozuren die wij niet zelf kunnen aanmaken. Vergeleken met mais is het gehalte aan koolhydraten bescheiden. Het bevat weinig vet. Er zijn tal van variëteiten. In Nederland kun je in reformwinkels twee vormen krijgen, lichtgele quinoa en rode quinoa, die wat pittiger en steviger is dan de gele vorm.

Bij alle recepten waar je rijst als onderlaag gebruikt, kun je ook quinoa nemen. Net als rijst moet je het opzetten met iets minder dan twee keer zoveel water als de hoeveelheid quinoa waar je van uitgaat (een klein kopje per persoon). Net als rijst zwelt het op en het is vrij snel gaar. Het heeft een weinig opdringerige smaak en laat zich daarom uitstekend combineren met alle soorten van groenten, met tomatensauzen, ja, met alles waar je rijst mee combineert. Kalkman is sceptisch ten aanzien van de mogelijkheden van quinoa – 'Het lijkt niet waarschijnlijk dat het de twaalf belangrijke granen ook maar een beetje zou kunnen verdringen, al is het hogere methionine- en lysinegehalte een gunstige factor' – maar ik vermoed dat quinoa langzaam zal oprukken. Het heeft namelijk nog iets voor op alle andere granen en schijngranen. Het laxeert fantastisch, terwijl er toch van nare gasvorming, zoals bij het sojaboontje, geen sprake is. Wie zweert bij de glycemische index is met quinoa ook goed uit, want het scoort verbazend laag op de GI. Mij lijkt echter van groter belang dat het, gecombineerd met allerlei groenten, zo verbazend lekker is, veel lekkerder bijvoorbeeld dan gierst, waar het zo op lijkt (quinoa past dus eigenlijk niet in het dovemansorendieet), dat het zo goed valt in de maag (het is alsof het het tegendeel van een opgeblazen gevoel veroorzaakt), en dat het blijkbaar zo goed verteert, want nooit zit je bij het ochtendgloren vrediger en uiteindelijk ook voldaner op de wc dan wanneer je de avond ervoor quinoa hebt gegeten. Hanneke en ik eten het minstens tweemaal per week. Het is onze favoriete onderlaag.

In plaats van gierst, quinoa of couscous als alternatief voor rijst kun je ook nog opteren voor een ander schijngraan: amarant. Net als quinoa bevat amarant veel lysine. Maar anders dan quinoa, dat kalmpjes lijkt te exploderen als je het kookt, zwelt amarant niet op. Dus blijft het er een beetje miezerig uitzien, maar de smaak is goed, en als je dol bent op couscous als onderlaag is dit een uitstekend alternatief. Op couscous heeft het, als je daar waarde aan hecht, voor dat de GI laag is, maar wat mij meer bekoort aan amarant is dat het makkelijker klaar te maken is dan couscous, want dat vind ik iedere keer weer een zware bevalling. Bovendien laxeert amarant beter dan couscous.

Wil je echte granen als alternatief voor rijst, dan kun je ook altijd kiezen voor spelt, gort of bulgur. Spelt combineert bijvoorbeeld geweldig met spinazie, gort ook trouwens, en schijngraan boekweit als onderlaag valt ook niet te versmaden. Het is fantastisch dat er zoveel mogelijkheden tot afwisseling zijn. Het lijkt mij onverstandig om altijd alleen maar rijst te eten, al staat echte basmati-zilvervliesrijst bij ons ook hoog aangeschreven.

Nog een ander graan wil ik van harte aanbevelen: teff. Je ziet het staan op de schappen van de reformwinkel, je denkt: wat zou dat nou toch zijn? Je schrikt van de hoge prijs, maar je neemt er desondanks een kilo van mee naar huis, en dan blijkt dat je van die teff niet alleen geweldige pannenkoeken kunt bakken, die veel minder zwaar op de maag liggen dan pannenkoeken van tarwemeel, maar dat je met teff ook eindelijk het probleem van de pizzabodem hebt opgelost. Je kunt er namelijk een flinterdunne bodem mee maken, die verbazend knapperig uit de oven blijkt te komen en die, net als de teffpannenkoek, niet zo akelig zwaar op de maag ligt. Waarschijnlijk liggen die teffbaksels niet zwaar op de maag omdat teff geheel vrij is van gluten. Anderzijds heeft het een verbluffend hoog ijzergehalte.

Teff is een graansoort uit Ethiopië. Van alle graansoorten heeft het veruit de laagste glycemische index. Teff verteert blijkbaar uiterst langzaam en daardoor bespeur je – en dat kan ik in ieder geval uit eigen ervaring bevestigen – lang na zo'n smakelijke teffpannenkoek of teffpizza urenlang niets van hongergevoel of zelfs trek. Anders dan gewoon brood, dat snel hard wordt, blijft teffbrood heel lang zacht en smakelijk. Het is spijtig dat teffmeel duur is (als er meer vraag naar zou zijn, zou de prijs wel dalen), want voor gerechten waarbij je meel gebruikt, een clafoutis bijvoorbeeld, is teff een uitkomst.

Met andere graansoorten, zoals mannagras, durra en fonio en de vele minder bekende varianten van gierst, heb ik helaas geen ervaring, want zo'n graan als fonio, dat her en der aanbevolen wordt als een gezond alternatief voor couscous, waar kun je dat krijgen? De foniograankorrels schijnen zo klein te zijn dat ze nauwelijks te onderscheiden vallen van zandkorrels. Daarom is het een opgave om fonio te oogsten. Voor je het weet oogst je zand. Maar voor al dit soort gewassen met kleine graankorrels geldt dat er, als ze net zo veredeld waren als tarwe en mais, nu varianten zouden bestaan met grotere, makkelijker te oogsten korrels. Het is betreurenswaardig dat tarwe, rijst en mais al die andere mogelijke gewassen als alternatieve voedselbronnen al bij voorbaat van tafel hebben geveegd doordat zij zich zoveel makkelijker lieten veredelen en kweken, al mag je ook hier de factor toeval niet uitsluiten. Wie weet hoe de mensheid thans zou floreren als niet tarwe, maar teff ons hoofdvoedsel was geworden. Wellicht zou er dan nergens ter wereld sprake zijn van overgewicht. Ach, wie weet smoort de huidige maismens in zijn eigen vet, en ontstaat er dan alsnog een niche voor de slanke teffvrouw, de magere quinoaman en het goedgeproportioneerde foniokind.

Ondertussen is er wat granen betreft echter wel sprake van een zorgelijke ontwikkeling. De meelprijzen vliegen omhoog omdat landbouwgronden in toenemende mate worden gebruikt voor de teelt van biobrandstofgewassen en er dus minder gronden overblijven voor graanteelt. Bijkomend voordeel is dat als de brood- en pastaprijzen dankzij de biobrandstof omhoog zullen vliegen, de consumptie ervan zal afnemen, en in het kielzog daarvan ook het overgewicht. Niettemin beschouw ik die opmars van biobrandstof als een enorm gevaar. In nog sneller tempo dan nu het geval is zullen regenwouden in landbouwgronden worden herschapen. Temeer daar de mensheid graan liever via de omweg der grote verspilling tot zich neemt, namelijk in de vorm van vlees van dieren die met graan vetgemest zijn.

Koken

Mijn lagere school, de Dr. Abraham Kuyperschool, was een school voor kinderen van kleine luiden. In de Maassluise volksmond heette hij nog altijd de klompenschool, ofschoon de tijd dat kinderen op klompen naar school kwamen ver achter ons lag. Je had ook een school voor kinderen uit gereformeerde gezinnen waar de welstandsgrens hoger reikte, de Groen van Prinstererschool. Van kinderen van de Kuyperschool werd niet verwacht dat zij zouden doorleren. Toch was de hoofdonderwijzer van de Kuyperschool, meester Cordia, elk jaar weer zo vermetel om de beste leerling uit de zesde klas op te geven voor het toelatingsexamen van het Groen van Prinstererlyceum in Vlaardingen, en elk jaar moest hij zijn vermetelheid bekopen met een hooglopend conflict met het overkoepelend bestuur voor beide gereformeerde scholen. Slechts leerlingen van de Groen van Prinstererschool mochten doorstromen naar het lyceum. Wie op de Kuyperschool zat en toch naar het Vlaardingse Groen wilde, moest alsnog het laatste halfjaar naar het Maassluise Groen. Dan kon men daar zien of zo'n leerling inderdaad in aanmerking kwam voor Vlaardingen. Koppig weigerde Cordia zo'n transfer. In principe mocht hij kinderen van zijn school opgeven voor het toelatingsexamen van het Groen van Prinstererlyceum, maar in de praktijk probeerde men de druk op hem zo hoog op te voeren dat hij daarvan afzag. Behalve verschil in status speelde ook nog iets anders mee. Cordia was vrijgemaakt gereformeerd, het schoolbestuur was synodaal gereformeerd.

In mijn schoolklas zat een jongen, Daniël Coumou, van wie de vader directeur was van machinefabriek Van der Bendt. Waarom Daan bij ons op school zat en niet op de Groen van Prinstererschool is mij nooit onthuld, maar het had eigenaardige consequenties. Bij ons in de klas was Daan de enige jongen die zakgeld kreeg. Daan was ook de enige die in de klas trakteerde als hij jarig was. Bij mijn andere klasgenoten ontbraken fondsen voor zulke extravagante uitspattingen. Bij Daan thuis stond zowaar zelfs een televisietoestel. En elke week werd daar de *Donald Duck* bezorgd. Dankzij dat zakgeld, die traktaties, de *Donald Duck* en het televisietoestel wilde iedereen met Daan omgaan.

Onderweg van school naar huis deed Daan op de markt soms lunchroom Strijbos aan om daar een zakje patat te kopen, en wie dan toevallig in zijn buurt was, kreeg soms één zo'n goudgeel aardappelstaafje aangeboden.

Ook toen deed ik niets liever dan lezen. Daan las echter helemaal niet, had thuis ook geen boeken die ik had kunnen lenen, dus naar omgang met Daan taalde ik niet. De vader van Daan stond er echter op dat zijn zoon zou doorleren, maar meester Cordia vond dat er uit onze klas maar één leerling in aanmerking kwam voor het Vlaardingse Groen, en dat was Daan beslist niet. Vader Coumou besprak de zaak met meester Cordia, en zegde hem, mits de hoofdonderwijzer zijn zoon zou opgeven voor dat toelatingsexamen, steun toe bij het onvermijdelijke conflict met het schoolbestuur. Steun van zo'n grootmacht kon Cordia wel gebruiken, maar hij had er een hard hoofd in of Daan slim genoeg was om dat toelatingsexamen te halen. En als, zo opperde vader Coumou, dat doodgraverszoontje Daan nou eens onder zijn hoede zou nemen en zou bijspijkeren, zodat hij hem als het ware op kon trekken tot het niveau dat vereist was voor het toelatingsexamen van het Groen van Prinstererlyceum?

Zo kwam het dat Daan, om het pad naar bijspijkeren te vereffenen, bij ons op een oudejaarsdag aan de deur verscheen en mij vroeg of ik mee wilde gaan naar het Kolpabad in Vlaardingen. Alle daartoe te maken kosten zouden door hem gedragen worden, de treinreis erheen, de toegangsprijs voor het bad en de patat die wij daar na het zwemmen zouden verorberen. 'Want,' aldus Daan, 'van zwemmen krijg je honger.'

Wat mij, die van nature geneigd ben om zo'n voorstel af te wimpelen, over de streep heeft getrokken, was dat zakje patat. Vaak genoeg had ik uit de verte aanschouwd hoe klasgenoten zich te goed deden aan dat ene goudgele aardappelstaafje dat zij goedgunstig van Daan aangeboden kregen. Zo'n staafje, ja, dat wilde ik ook wel eens proeven, temeer daar die klasgenoten daarover later altijd in vervoering bleken te zijn.

Ik ging mee naar het befaamde Kolpabad, waar ik al zoveel over had gehoord. Anders dan in het Maassluise zwembad kon je er zelfs 's winters zwemmen, omdat het overdekt was! Om zijn milieuverontreinigende activiteiten ongestoord op Vlaardingse bodem te kunnen ontplooien, heeft Shell indertijd, zo is onlangs gebleken, de bouw van het bad ondershands gefinancierd. Het is inmiddels afgebroken.

Achteraf lijkt het nog steeds alsof ik toen gedroomd moet hebben. Eerst een peperdure treinreis, retour Maassluis-Vlaardingen, 55 cent, toen de entree voor het Kolpabad, 40 cent, en een zakje patat na afloop, 25 cent.

Twee grote leermomenten leverde die reis op. Ten eerste dat zo'n zakje patat als je een uur of twee gezwommen hebt (want veel korter kon natuurlijk niet, dan had je die 40 cent er nooit uit gehaald) inderdaad goed valt in zo'n uitgeput kinderlijf, en ten tweede dat patat, die ik op dat moment nog nooit had geproefd, zo onvoorstelbaar veel lekkerder was dan alles wat ik ooit eerder had gegeten, dat het mijn hele kijk op voedsel veranderde. Eten kon dus ook verbazend smakelijk zijn. Sterker nog, zo'n ellendige knol als de aardappel, die je elke middag slap en papperig en kruimig op je bord kreeg en die op zondag, nadat hij vierentwintig uur in water was geweekt, de hoofdmaaltijd totaal verpestte, kon zich, mits op de juiste wijze behandeld, transformeren tot een hemelse delicatesse. Waarop bij mij terstond de vraag rees: waarom krijgen wij thuis die aardappel dan niet elke dag als patat op ons bord? Toen ik er, eenmaal weer thuis, naar vroeg, zei mijn moeder dat er geen denken aan was dat zij ooit patat zou klaarmaken. Veel te veel werk. Waarop ik zei dat ik dan zelf dat werk wel wilde verzetten. Waarop zij zei dat ik, als ik dat zo graag wilde, zelf patat mocht bakken, mits ik dat in het schuurtje zou doen.

Wat zich vervolgens heeft afgespeeld – mijn allereerste schreden op het doornige pad der kookkunst – wekt nog altijd mijn lachlust, terwijl het toch lichtelijk tragisch was. Daar zat ik in het schuurtje, met ons kleinste petroleumstelletje en een afgedankt braadpannetje, en een weinig rundvet dat slager Brinkman, voor wie ik toen bestellingen rondbracht, mij ter hand had gesteld. Enkele aardappels had ik met een bot tafelmes zo goed mogelijk in patatstaafjes getransformeerd. Langwerpige staafjes met van die keurige rechthoeken zoals bij echte patat kon ik met dat botte mes maar niet uit die aardappels gesneden krijgen. Na veel tobben had ik dan toch een soort staafjes die heel in de verte leken op die verrukkelijke Kolpabad-staafjes, en toen ving het bakken aan.

Ik had er geen flauw idee van hoe patat werd gebakken. Nooit had ik het aanschouwd. Tweemaal onderdompeling in gloeiend hete olie, ik wist er niets van. Ik dacht dat je, als je dat rundvet liet smelten in zo'n braadpannetje, die nepstaafjes dan op je gesmolten rundvet kon neervlijen. Na verloop van tijd zouden zij in goudgele, overheerlijke patatjes getransformeerd blijken te zijn. Mijn zus en mijn broer kwamen af en toe kijken hoe het met de patat ging, want ik had hun beloofd dat zij ook zouden mogen proeven van deze verpletterende delicatesse. Mijn zus constateerde al snel (wat ik vooralsnog niet wilde inzien) dat datgene wat in het pannetje in lauw rundvet lag te pruttelen geen enkele gelijkenis vertoonde met de patat waarmee de zaligen uit lunchroom Strijbos naar buiten zweefden.

Ik geloof dat ik er een hele middag over gedaan heb om enkele aardappelsegmenten in voorwerpen te transformeren die enigszins leken op gebakken aardappels. Vanbinnen bleek een en ander echter nog lang niet gaar te zijn. Het was een regelrecht echec, dat mij nog maanden door mijn broer en zus is nagedragen. Zelf was ik ook diep teleurgesteld over het resultaat van mijn verrichtingen. Om toch aan patat te komen spijkerde ik Daan inderdaad bij, en hij slaagde zowaar voor het toelatingsexamen, en samen gingen wij naar het lyceum. Zijn vader vond dat hij na het brugjaar door moest stromen naar het gymnasium, en daar ging hij, zonder mijn steun, roemloos onder.

*

De supermarkt

Thans overvloed, vroeger schaarste – die doldwaze mythe kom je steeds weer tegen. Wieke Biesheuvel haalt in Afvallen en opstaan *een artikel aan van Elisabeth Somer, 'Born to be wide', waarin ook weer wordt beweerd dat 'reserves moesten worden opgebouwd voor schrale tijden. Alleen diegenen die genoeg lichaamsvet konden opslaan leefden lang genoeg om hun genen te kunnen geven aan hun kinderen.'*

Voor zo'n veronderstelling dat er selectie optrad ten gunste van de capaciteit van vetopslag is geen enkel bewijs. Als dat zo was, zou bij vrijwel alle zoogdiersoorten zo'n soort selectie hebben moeten plaatsvinden, want hongersnoden zijn niet exclusief aan de mens voorbehouden.

Net als bijvoorbeeld het varken, de kip, de hond, de witte laboratoriumrat en de huiskat is de mens een gedomesticeerd organisme dat gemakkelijk vetgemest kan worden. Wilde zwijnen daarentegen kun je niet vetmesten. Dat varkens zo vet kunnen worden, is derhalve niet te danken aan eeuwenlange selectie ten gunste van corpulente zwijnen, 'die reserves moesten opbouwen voor schrale tijden'. Die schaarste-overvloedmythe belemmert het zicht op de werkelijke oorzaken van de vetzuchtepidemie. We moeten het veel dichter bij huis zoeken.

Als een van de aanjagers van de vetzuchtepidemie beschouw ik de supermarkt. Als je goed tussen de regels door leest, merk je hoezeer de obesitaspatiënt Wieke Biesheuvel, die toch al tot hamsteren geneigd is, volkomen vanzelfsprekend al haar inkopen bij supermarkten verricht. Nooit komt bij haar de gedachte op om zich eens naar een reformwinkel te begeven.

Quinoa, teff, amarant, quorn, linzen, kikkererwten, spelt, gort, ja zelfs zilvervliesrijst of roggebrood verkeren aan gene zijde van haar gezichtsveld.

Een halve eeuw geleden moest je met een boodschappenlijstje naar de kruidenier. Over de toonbank heen hielp hij je aan je voedingsmiddelen. Alleen al het feit dat hij alles uit grote bussen en mandflessen in zakjes moest scheppen en daarbij alles ook nog moeizaam moest wegen, maakte dat je je aankopen beperkte, want anders stond je daar uren. Tegenwoordig dwaal je met zo'n krankzinnig grote winkelwagen tussen de schappen door. Overal liggen en staan de verrukkelijkste voedingsmiddelen en drinkwaren uitgestald. De keus is overweldigend. Zeker, er is overvloed, maar die was er vroeger ook voor wie geld en genoeg geduld had om zijn of haar aankopen te verrichten. Hallucinerend schemerlicht en gedempte muzak zorgen in de supermarkten voor beneveling, waardoor je makkelijker toetast. Ik kom hoogstzelden in supermarkten want ik beschouw ze als de wortel van alle kwaad, maar als ik mij een enkele keer in een Albert Heijn waag omdat je nergens anders quorn kunt kopen, kijk ik mijn ogen uit als ik die volle winkelwagens bij de kassa aanschouw. Ronduit verbijsterend is het wat mensen inslaan. Alsof ze zich voorbereiden op de zeven magere jaren!

Een winkelwagen is een onding. In de meeste supermarkten ben je verplicht om ermee te winkelen. Omdat vrijwel iedereen zich ervoor schaamt om met zo'n grote winkel bij de kassa te verschijnen waarin enkel een doosje lucifers ligt, ben je geneigd om daarin een en ander te deponeren wat je niet direct nodig hebt, maar wellicht in de toekomst kunt gebruiken. De ervaring leert trouwens dat de meeste mensen hun wagens volstouwen. Aangezien ze met de auto winkelen, zijn er voor hen ook geen beperkingen ten aanzien van het vervoer van hun inkopen naar huis.

Wie wil afvallen, moet om te beginnen de supermarkten mijden. Bijna alles wat je nodig hebt kun je elders krijgen, op markten en in reformwinkels. Als je er echter als dikzak niet omheen kunt daar je inkopen te doen, ga er dan in ieder geval op de fiets of te voet naartoe (dan kun je niet zoveel meenemen als wanneer je met de auto gaat, en heb je bovendien beweging), en winkel zonder karretje. Waar winkelen zonder karretje verboden is, heb je vaak mandjes, dus neem dan zo'n mandje. Maar beter nog is om alles wat je wilt kopen domweg in beide handen naar de kassa te torsen. Dan beperk je vanzelf je inkopen tot het hoogst nodige. Wat ook helpt, is je inkopen bij zo'n supermarkt als de Aldi te doen. Daar geen schemerlicht doch vals neonlicht, geen muzak, geen verleidelijke uitstalling van voedingsmiddelen, maar alles schots en scheef neergepleurd in de dozen waarin het werd aangeleverd. Desondanks zie je zelfs bij die Aldi's uitpuilende winkelwagens bij de kassa. Wat de mensen uit die Aldi's (ik kom daar uitsluitend omdat ze daar even goede als goedkope olijfolie hebben) toch mee naar huis nemen!

Wellicht zou een eerste stap tot beteugeling van de obesitasepidemie een verbod op grote winkelwagens kunnen zijn.

*

Wat mijn eerste schreden op het gebied der kookkunst betreft verging het mij weinig beter toen ik, daar mijn moeder het vertikte om ze te vervaardigen, zelf probeerde om pannenkoeken te bakken. Van mijn patroon, bakker Eysberg, had ik meel gekregen, van Brinkman wederom afgedankt rundvet. Met dat meel en een weinig water maakte ik beslag, en met dat beslag verdween ik weer in het schuurtje, waar ik op het petroleumstelletje pannenkoeken probeerde te bakken. Ook dat liep uit op een faliekante mislukking. Ten eerste uiteraard omdat het beslag te slap was, en ten tweede omdat zo'n petroleumstelletje nu eenmaal te weinig hitte genereert om beslag in pannenkoeken te transformeren.

Lang, zeer lang heb ik erover gedaan voordat ik het er andermaal op waagde voedsel te bereiden. Minstens twintig jaar. En zelfs nu, terwijl ik al jarenlang onze warme maaltijden klaarmaak, bevangt mij nog iedere keer opnieuw als ik de keuken instap een groot wantrouwen tegen bakken, koken, frituren en braden. Waartoe die werkwijzen eigenlijk? Er is geen enkel ander organisme dat zijn voedsel te lijf gaat met pannen, raspen, molens, messen, open vuur, ovens, gaspitten, braadsleeën en barbecues. Wij kunnen nu wel van onszelf denken dat we omnivoren zijn – Michael Pollan noemde zijn boek over de natuurlijke historie van onze maaltijden *The omnivore's dilemma* – maar dat zijn we allerminst. Als we niet een enorme trukendoos hadden opengetrokken om allerlei in principe voor ons ontoegankelijke voedingsmiddelen consumeerbaar te maken, hadden we maar een beperkt arsenaal daarvan ter beschikking. De meeste vruchten kunnen we eten zonder dat we ze hoeven te bewerken. Net als eekhoorns moeten we noten openmaken om ze te kunnen eten, maar dat valt niet onder bewerken; het openen van noten is een natuurlijk proces dat allerlei dieren ook beheersen. Eieren kunnen we rauw eten, al loert dan wel het gevaar van salmonellabesmetting, maar dat geldt ook voor dieren die eieren rauw verorberen. Oesters, mossels, garnalen en allerlei ander zeebanket, inclusief een aantal vissoorten, kunnen we rauw eten. Zeekraal en sommige wieren en algen kunnen we ongekookt tot ons nemen. Wortels, koolrabi's, en verschillende andere knolgewassen kunnen we onbewerkt consumeren. Jonge erwtjes, tuinboontjes, ja, in principe alle jonge peulvruchten kunnen we vanuit de schil rechtstreeks in onze mond stoppen.

Ziedaar dus ons natuurlijke dieet. Het dieet, minus het zeebanket, van de bonobo en de chimpansee. Sommige chimpansees jagen ook op halfaapjes, maar ziet u zich al een halfaapje rauw consumeren? Ook mieren en termieten mag de chimpansee graag eten. Dat ligt mensen minder, maar wij zouden, net als Johannes de Doper, die leefde van sprinkhanen en wilde honing, sprinkhaanachterlijven rauw kunnen oppeuzelen. En wilde honing natuurlijk ook. Wij omnivoren, Michael Pollan? Kom nou toch. Pollan beschouwt het koalabeertje als onze natuurlijke tegenpool. Die voedt zich uitsluitend met eucalyptusbladeren, ons staat alles wat maar eetbaar is ter beschikking.

Onze keus is echter beperkt, ware het niet dat wij er iets op gevonden hebben: voedselbewerking. En daarom verdient die uitbundige voedselbewerking ons aller wantrouwen. Koken? Ooit uitgevonden om bacillen en wormen in je groenten door verhitting te verdelgen. Later nooit meer afgeschaft, ook al zijn wormen en bacillen minder bedreigend dan voorheen. Spijtig, want pas toch op met verhitten. Je vernietigt de vitamines uit je voedsel, vitamine C voorop. Met het kookwater spoel je ze weg. Braden en bakken? Wees toch uiterst voorzichtig. Bij braden en bakken ontstaan kankerverwekkende stoffen. Vlees dat is geschroeid op een barbecuerooster, is domweg levensgevaarlijk. Wecken, inmaken, conserveren, invriezen – overal loeren de bacillen en schimmels op hun kans om zich meester te maken van het eertijds verse voedsel. In magnetrons worden zelfs de cellen van je groenten uiteengereten. Voor dat kookgerei schrik ik nog het meest terug, al kun je er wonderbaarlijk lekkere spruitjes mee maken. Maar spruitjes, mits jong geplukt, kun je ook rauw eten, en dat geldt haast voor alle groenten. Een van de voornaamste principes van het dovemansorendieet is derhalve: kook nooit wat je rauw kunt eten. Haast alle koolsoorten, behalve broccoli en boerenkool, kun je rauw eten. Het is zonde om ze te koken. En broccoli moet je ook niet koken, maar eventjes stomen. Wortels, bietjes, bleekselderij, knolselderij, witlof, andijvie, spinazie, postelein, uien, je kunt het allemaal rauw eten. Als je dat doet, zul je zien dat je zienderogen afvalt. Je eet namelijk minder dan wanneer je een en ander kookt. Je krijgt meer vezels binnen, dus de stoelgang gaat er drastisch op vooruit. Omdat je maag met al die niet altijd even licht verteerbare rauwkost snel gevuld is, taal je niet naar dikmakende toetjes. En al die sauzen dan voor je rauwkost, zult u vragen. Waartoe al die olie- en mayonaisedressings? Doe een beetje sinaasappelsap door je geraspte wortel als je het in onbewerkte staat niet naar binnen kunt krijgen. Doe partjes mandarijn door je rauwe, fijngesneden witlof. Doe kerstomaatjes door je rauwe andijvie. Idem als je sla of rucola eet.

Schaf het Bircher-Bennerkookboek aan. Daar staat precies in hoe je allerlei smakelijke rauwkostschotels kunt maken. Smijt al die lekkerbekkookboeken de deur uit, verdelg al die armzalige liflafwerkjes van hedendaagse glamourkok(kin)s zoals Nigella Lawson en Jamie Oliver. (Oliver gaf op de buis een recept voor zeebaars, waardoor heel Engeland zeebaars ging klaarmaken – notabene een van de meest bedreigde vissoorten, schandalig!) Als je je groenten al bewerkt, stoom ze dan. En kook ook nooit je aardappels, maar stoom ze in de schil. Koop bovendien je aardappels bij biologische groentewinkels, want van die hopeloze zetmeelvoddenbalen die ze in gewone winkels en supermarkten aanbieden, word je al dik als je er alleen maar naar kijkt. Veel beter nog is natuurlijk om ergens een lapje grond, een volkstuintje, te bemachtigen, waar je zelf je aardappels verbouwt. Krijg je er en passant ook meteen lichaamsbeweging bij. En verbouw van die Franse *rattes*, superaardappeltjes die in smaak met niets te vergelijken zijn. Of Rozeval-aardappeltjes. Beide eigenlijk veel te lekker voor het dovemansorendieet, maar het kost zoveel moeite ze te telen, ze uit de grond te halen en ze schoon te maken, dat je er toch nooit te veel van eet, hoe verrukkelijk ze ook zijn.

In het algemeen geldt dat wat je zelf teelt duizendmaal lekkerder is dan wat je uit welke winkel dan ook kunt halen. Alleen al daarom heb ik geen enkel vertrouwen in de vele kookprogramma's op de buis en recepten in kranten en tijdschriften. Niets kan wat smaak betreft wedijveren met wat versgeplukt nog diezelfde dag, hoogstens kortstondig gestoomd, op tafel verschijnt. Dus die ingewikkelde bewerkingen, die kruiden, dat gedoe met boter en eigeel en sausjes, zou je ogenblikkelijk achterwege laten ingeval je piepjonge, zojuist geoogste tuinboontjes klaar zou maken, want alles wat je ermee doet, zou afbreuk doen aan de smaak ervan. Hoogstens een beetje bonenkruid erbij, dat is alles. Dat geldt ook voor die *rattes*, voor piepjonge, zoete bietjes, en voor een minibloemkooltje waarvan de rauwe roosjes smelten op de tong. De hele zomer door eten wij, van begin april tot eind oktober, de producten die onze tuin oplevert – zo veel mogelijk rauw, soms eventjes gestoomd, nooit gebakken, laat staan gefrituurd.

Koken is op z'n best een noodzakelijk kwaad. Hoe meer er in een keuken gekookt, gebakken, gebraden en gefrituurd wordt, hoe vadsiger de koks en keukenprinsessen zijn, leert de ervaring. Zelfs Nadine Abensur, die ik op handen draag, zal naarmate zij ouder wordt al haar aantrekkelijke, maar ook ingewikkelde recepten moeten bekopen met een forse gewichtstoename, want ook zij is helaas vaak met blikken en conserven in de weer en heeft uit het oog verloren dat ons eigenlijke, echte dieet een dieet is van vruchten, noten, rauwkost, honing, sprinkhanen en misschien vooral zeebanket, omdat de hypothese dat wij miljoenen jaren op de grens van land en zee hebben geleefd veel specifiek menselijke eigenschappen verklaart.

Wellicht nog ten overvloede: het spreekt vanzelf dat in onze rauwkostkeuken zaken als diepvriesvoedsel, blikken, flessen, potten, laat staan kant-en-klare supermarktmaaltijden volstrekt taboe zijn. Alles wat uit blik, fles, pot, gesealde bak of kartonnen doos komt, is op smaak gebracht met suiker én zout (Lucas Reinders: 'Zoet en zout, beide fout') en vaak met allerhande andere smaakmakers en conserveringsmiddelen. Weg ermee dus, in het dovemansorendieet horen zij niet thuis.

Spierballentaal

Terwijl ik, op grond van het feit dat ik op een klompenschool had gezeten, en mijn vader slechts doodgraver was, ertoe voorbestemd leek om mijn leven te slijten als vuilnisman, plantsoenarbeider, slagersknecht of brugwachter, viel mij dankzij hoofdonderwijzer Cordia het onbegrijpelijke geluk ten deel dat ik 1957 op het Groen van Prinstererlyceum terechtkwam. Nog altijd kan ik amper begrijpen dat zo'n achterafjongetje uit een van de Maassluise achterbuurten mocht doorleren. Reeds in de brugklas kreeg ik Frans en Engels, en in de tweede klas bovendien Duits, zodat ik al in het derde schooljaar mijn eerste boek in een vreemde taal kon lezen: *Moïra* van Julien Green. Als gevolg van het feit dat ik donders goed begreep dat het voorrecht van dit zogenaamde doorleren mij niet toekwam, deed ik mijn uiterste best om te bewijzen dat ik wel degelijk thuishoorde op het Groen van Prinstererlyceum. Ik was zo iemand die door zijn klasgenoten een uitslover genoemd werd, maar mij deerde dat niet. Wat telde was dat ik op het Groen zat, en kon en mocht doorleren.

Maar hoe zielsgelukkig ik ook al die jaren was op het Groen – en die vijf jaar zijn zonder meer de vijf gelukkigste jaren van mijn leven geweest – één oneffenheid viel niet weg te poetsen: de gymnastiekles. Diep gehaat heb ik die lessen, en nog altijd word ik bijna onpasselijk bij de aanblik van een foto van martelwerktuigen als de brug, de ringen en het klimrek. Mijn afkeer van gymnastiek werd gedeeld door mijn vriend Floor. Die was ook van eenvoudige komaf, al had zijn vader het toch tot 'operator' gebracht. Als de gymnastiekleraar – hij heette Van der Schaar en het was moeilijk om, als je die naam hoorde, niet meteen ook aan het rijmpje te denken: 'Messen en scharen zijn kindergevaren' – twee jongens uitkoos om twee teams te formeren die voetbal, basketbal of volleybal moesten spelen, waren Floor en ik steevast de twee laatsten die overbleven. Met onze stakerig witte, tengere lijfjes stonden we, slechts gekleed in armzalige sportbroekjes, rillend naast elkaar, en meestal weigerden degenen die moesten kiezen een van ons beiden aan hun team toe te voegen. Wij waren paria's, wij waren ongewenst, wij werden gehaat. Anders dan bij al die andere jongens waren zelfs onze armen niet eens gebruind, en je zag ook geen spoor van iets wat op spieren leek. Niets dan akelig bleek vel en botten.

Uiteindelijk werden wij door Van der Schaar toegewezen aan de teams, en wie van ons beiden waar ook terechtkwam, onveranderlijk was de reactie van onze klasgenoten een daverend gehuil van verontwaardiging omdat Floor dan wel ik aan het team werd toegevoegd. Terwijl ik nog geneigd was om althans te proberen een bal te gooien of te schoppen, afhankelijk van het soort spel dat wij speelden, was Floor er instinctief op uit zo ver mogelijk uit de buurt van de bal te blijven. Aangezien ik altijd mijn ogen stijf dichtkneep als ik gooide of schopte, kwam zo'n bal hoogstzelden bij een medespeler terecht. In zeker opzicht was Floors strategie – wijk uit, vermijd elk contact met de bal – veel slimmer, want daardoor vermeed hij ook dat hij de bal aan een tegenstander toespeelde. Maar de heer Van der Schaar werd altijd weer witheet van woede als Floor zo ver mogelijk uit de buurt van de bal probeerde te blijven. Zijn opmerkelijke behendigheid – toch zonder meer een grote verdienste – werd door de leraar niet naar waarde geschat, hoewel mijn klasgenoten er minder afkeer van hadden dan van mijn lukraakstrategie.

Ondanks die inktzwarte uren gymnastiek hebben Floor en ik in 1962 eindexamen hbs-B gedaan. Floor is wiskunde gaan studeren en tegenwoordig voert hij allerlei vernuftige berekeningen uit bij het Centraal Planbureau. Daarnaast heeft hij zich ontpopt als iemand voor wie de computer geen geheimen kent. In een handomdraai kan hij elke haperende computer weer aan de praat krijgen. Dankzij hem heb ik vanaf mijn roman *De jakobsladder* al mijn werken met behulp van de computer kunnen vervaardigen.

Enkele jaren geleden hebben wij samen een schoolreünie bezocht. Daar waren ze weer, al die klasgenoten die zo huilden van verontwaardiging als Van der Schaar ons aan hun teams toebedeelde. Niets restte van die verontwaardiging, ze waren allemaal uitgegroeid tot zeer hartelijke kerels die bij de aanblik van ons beiden zelfs zonder enige wrok omzagen naar de gymnastieklessen. Wat mij bij die reünie toen opviel, was dat al die jongens die indertijd van die mooie, ranke gestalten hadden, die konden bogen op fraaie spierbundels en een gebronsde huid, en die lid waren geweest van voetbal-, turn- of hockeyverenigingen, er allemaal niet alleen stokoud uitzagen – want dat gold in hun ogen ongetwijfeld ook voor Floor en mij – maar bovendien zo verbijsterend vadsig waren geworden. En dat zijn Floor en ik nu juist allerminst.

Indertijd zagen wij er, als wij met alleen ons sportbroekje aan zo akelig bloot oogden, uit als twee knokige oude mannetjes, en zo knokig zijn wij ook gebleven, terwijl wij toch een heel leven achter de rug hebben waarin wij na de middelbare school nimmer meer iets aan sport of gymnastiek hebben gedaan. Tijdens mijn middelbareschooltijd ben ik twee jaar lid geweest van de CKC (Christelijke Korfbalclub) Maassluis, maar aangezien ik op afstand de slechtste speler was, werd ik nooit opgesteld als wij christelijk korfbalden.

Aan sport heb ik na de 'SeeKaSee' (zo werd de club in Maassluis genoemd) nooit meer iets gedaan, maar ik beweeg toch nog vrij veel omdat ik elke dag gemiddeld wel zo'n tien kilometer fiets en de hele dag door allerlei werkzaamheden in mijn idioot grote tuin verricht. Daarnaast ben ik, zoals ik al eerder memoreerde, een nerveus type dat zelfs als hij leest onophoudelijk beweegt. Floor echter, die omschreven kan worden als het prototype van een computerjunk, zit de hele dag achter zo'n scherm en rijdt in een Citroën. Die is lang zo nerveus niet en zou toch, een enkele vrijetijdsfietstocht op zijn mooie Koga Miyata niet te na gesproken, nu ook even vadsig moeten zijn als al die klasgenoten die indertijd moeiteloos een vogelnestje in de ringen konden maken (een vogelnestje in de ringen werd bij mij altijd een zeester, en als ik eenmaal een zeester was dan moesten anderen mij omzichtig uit die ringen lospeuteren). Floor, iets kleiner dan ik, weegt nu echter 74 kilo.

Bij de aanblik van mijn vadsige klasgenoten bekroop mij een bang vermoeden, dat ik niet langer voor mij wil houden. En het is niet slechts de aanblik van mijn klasgenoten die verantwoordelijk is voor dit vermoeden, maar ook de aanblik van grote vadsigheid bij ex-voetballers, ex-roeiers, ex-turners. Sport, in weerwil van alles wat men ons in vermageringsboeken wijsmaakt, is niet alleen totaal nutteloos in de strijd tegen overgewicht, maar levert daar mogelijkerwijs zelfs een substantiële bijdrage aan. 'Maar bewegen is toch heel goed,' zult u zeggen. Zeker, niets pleit tegen veel bewegen, maar sport is een zinledige vorm van geforceerde beweging, waarbij met halters en op hometrainers slechts bepaalde spiergroepen geactiveerd worden gedurende een beperkte hoeveelheid tijd. Wie zichzelf daaraan blootstelt, heeft het gevoel een daad te verrichten die beloond moet worden. Daarom wordt er juist in die sportkantines na al die inspanningen adembenemend veel gedronken – en al dan niet geestrijk vocht, zeker in de vorm van bier of frisdrank, zet enorm aan. Ik moet de sporters nog tegenkomen die na hun prestaties simpelweg water drinken. Bedenk daarbij overigens wel dat zelfs een liter water een kilo weegt. Ook van water kun je aankomen.

Voorafgaand aan te verrichten sportprestaties worden vaak zogenaamde sportdranken genuttigd. Dat zijn verbazend calorierijke vloeistoffen, waarvan allerminst gegarandeerd is dat zij volledig verbrand worden tijdens het sporten. Ook verorberen sporters vaak voor wedstrijden maaltijden die opmerkelijk veel koolhydraten bevatten, pasta met name. Uiteraard geldt dit vooral voor topsporters, maar gewone sporters apen hun vereerde helden na. Typische overgewichtbevorderaars worden derhalve alom geconsumeerd. Kijk je wat er zoal in de sportkantines wordt aangeboden, dan val je steil achterover van het enorme assortiment snoepgoed plus het verbluffende assortiment breezers en drankjes.

Toch zou dat alles nog overkomelijk zijn, ware het niet dat elke sportbeoefenaar vroeg of laat definitief een streep zet onder zijn sportieve carrière. Vaak blijft hij wel de sportkantine nog jarenlang bezoeken. Bovendien is hij gewend geraakt aan pastamaaltijden en erop gesteld geraakt. Zelden wordt een stap terug gezet. In een mum van tijd heeft zich bij zo'n ex-sporter een buikje gevormd waar hij nooit meer van afkomt.

Los nog van eventueel overgewicht als gevolg van (stoppen met) al die geforceerde spierbelasting, is niets schadelijker voor de mens dan sportbeoefening. Wie aan sport doet, loopt blessures op. De meeste blessures doen zich voor bij voetbal. Zesenveertigduizend voetballers raken in Nederland per jaar geblesseerd, elfhonderd voetballers breken jaarlijks in Nederland een been. En als men eenmaal gedoemd is tot ledigheid omdat men geblesseerd is, zou men er verstandig aan doen de calorie-inname drastisch te verminderen. Maar de geblesseerden blijven eten alsof zij nog aan hun favoriete sport doen, en ziedaar, de eerste stap naar overgewicht is reeds gezet. Overigens mag een voetballer blij zijn dat hij alleen geblesseerd raakt, de lijst van jeugdige voetballers die vanwege een plotselinge hartstilstand voorgoed uitgespeeld waren, is akelig lang.

Zelfs sporten waarvan je het niet zou verwachten, schijnen gevaarlijk te zijn. De 47-jarige Australische schaker Ian Rogers heeft op advies van zijn artsen het toernooischaak vaarwel gezegd. Volgens Mark Crowther van *The Week in Chess* hadden ze gezegd dat hij binnen een paar jaar aan een nierdialysemachine zou raken als hij doorging met het stressvolle en bloeddrukverhogende toernooischaak. In zijn commentaar op deze beslissing zegt Hans Ree in NRC *Handelsblad* van 11 augustus 2007: 'Is schaken echt zo gevaarlijk voor de gezondheid? Ik denk het wel. Er zijn zoveel schakers aan het bord door een hartstilstand of een beroerte gestorven dat het waarschijnlijk geen toeval is. Alle sport is nu eenmaal link, met of zonder doping.'

Een akelige bijkomstigheid van sporten is daarbovenop dat het erg duur kan uitpakken. Je kunt niet joggen op gewone schoenen; daar heb je speciale renschoenen voor nodig met de juiste demping. Je hebt een speciaal T-shirt nodig dat vocht en warmte reguleert. Je hebt sokken nodig die eveneens vocht en warmte reguleren, maar die kosten dan ook meteen zo'n 20 euro. Het geld dat je uitgeeft aan zulke hightechproducten, zou je ook kunnen uitgeven aan goed kookgerei, een römertopf bijvoorbeeld. Wil je overgewicht bestrijden, dan heb je daar meer aan dan aan speciale joggingsokken.

Midas Dekkers heeft een wat drammerig, maar niettemin voortreffelijk boek geschreven waarin hij aantoont dat lichamelijke oefening niet alleen geen enkel nut heeft, maar bovendien vele kwalijke kanten kent. Hij wijst op het monsterverbond tussen sport en militarisme (inderdaad: Van der Schaar was aanvankelijk beroepsmilitair!). Hij wijst op het feit dat dictators sportbeoefening altijd enorm toejuichen. Hij wijst erop dat geen enkele diersoort aan sport doet. Toch blijven dieren fit en mager! Dekkers wijst er ook op dat sportverdwazing amper anderhalve eeuw oud is. In al die eeuwen daarvoor werd er, behalve door wat Grieken, nooit aan sport gedaan. Toch merkwaardig dat overgewicht zich in al die sportloze eeuwen nooit op een zo grote schaal heeft voorgedaan als nu volgens Fresco-Schaafsma het geval is. Destijds geen sport en toch was men broodmager, hoe kan dat?

Moet alle sport dan maar afgeschaft worden? Zover zou ik niet willen gaan. Als ik dictator was, zou ik naast alle vormen van godsdienst en popmuziek alleen topsport verbieden. Dat is de waanzin ten top. Koninginnen en presidenten huldigen atleten omdat zij de honderd meter hebben gelopen in een tijd die elke normale haas moeiteloos verbetert. Sterker nog, als je een gemiddelde haas laat lopen naast een topatleet, is de haas al terug bij het punt van vertrek als de atleet de finish heeft bereikt. Een haas loopt twee keer zo snel als de snelste atleet. Toch worden hazen nimmer gehuldigd. Hetzelfde geldt voor dolfijnen en bruinvissen, die elke topzwemmer moeiteloos voorbij zouden stuiven als zij zich verwaardigden om aan zulke zotternijen mee te doen als zwemwedstrijden.

Over zwemmen gesproken: dat is de enige vorm van sport die aanbeveling verdient. Om twee redenen. Ten eerste lopen zwemmers hoogst zelden een blessure op. Het is veruit de veiligste vorm van sport. Ten tweede gebruik je nagenoeg al je spieren als je zwemt. Er is dus geen sprake van geforceerde belasting van een beperkt assortiment spieren en dat is een geweldig voordeel ten opzichte van die fitnessapparaten waarbij men bijvoorbeeld alleen de arm- of alleen de beenspieren oefent. Daar worden die spieren overigens wel omvangrijker van, dus je wordt juist steviger. Wel gebiedt de waarheid te zeggen dat in zulke sterk ontwikkelde spieren meer vet wordt verbrand dan in slappe bi- en triceps.

De mens is een organisme dat nergens in uitblinkt. Vergeleken met de antilope is hij een armzalige renner. Vergeleken met zijn naaste verwanten, de mensapen, is hij een miezerige klimmer. In het water komt hij amper vooruit. Als het op vechten zou aankomen, verliest hij van elke gorilla of chimpansee. Vergeleken met de olifant kan hij nauwelijks iets van de grond tillen. Zijn sprongkracht stelt naast die van de kangoeroe niets voor. Elke mol graaft beter. Elke rat knaagt beter. Elke hond eet sneller.

Zo kan men nog lang doorgaan. Waar de zaken zo liggen, moet de mens zich er niet toe forceren te willen uitblinken op gebieden waar zijn grootste kracht niet ligt. Aan een harpiste vraag je toch ook niet of zij het slagwerk wil bedienen? Wijs al dat jachterige streven naar opzienbarende prestaties op sportgebied volledig af. Nog los van de daarbij ook altijd optredende en uiteindelijk kinderachtige en weinig zielsverheffende wedijver bereik je er alleen maar mee dat je op enig moment een bijzondere prestatie levert. En dan? Dan kun je niets anders meer dan nogmaals die prestatie leveren, waarbij je jezelf het liefst overtreft. Lukt het niet meer, of ben je geblesseerd, dan val je, zoals je altijd maar weer hoort van die verbaal doorgaans weinig begaafde sporters, 'in een zwart gat'. Waarbij nog komt dat het lang niet altijd de besten zijn die eerste worden. Of zoals Prediker vele eeuwen geleden al zo onovertroffen formuleerde: 'Wederom zag ik onder de zon dat niet de snelsten de wedloop winnen, noch de sterksten de strijd, noch ook de wijzen het brood, noch ook de schranderen de rijkdom, noch ook de verstandigen de gunst, want tijd en toeval treffen hen allen.'

Ondanks deze prachtige taal ontziet men zich niet zelfs het schaatsen, dat bij zonnig, windstil weer het verrukkelijkste is wat een mens kan doen, te onteren door het in wedstrijdverband te beoefenen. Maar ja, ook de letterkunde wordt met Libris- en AKO-prijzen en Gouden Uilen gedegradeerd tot een tafeltennistoernooi.

Nederland is de laatste tien jaar meer gaan bewegen. De fitnesscentra zijn als paddestoelen uit de grond geschoten. Toch is er de laatste tien jaar niets gebleken van enige afvlakking van de toename van overgewicht. Wellicht is de tijd daar om de keiharde waarheid onder ogen te zien dat juist die fitnesscentra, die *pro life factories*, die sportscholen overgewicht eerder in de hand werken dan effectief bestrijden. Fitter en zwaarder kom je ervandaan. En ga je er, na jarenlang vaste bezoeker te zijn geweest, niet meer heen, of alleen nog om een biertje te drinken in de sportkantine, dan slaat de echte vadsigheid genadeloos toe. Want dit blijkt een verschrikkelijke waarheid die men maar niet onder ogen wil zien: wie van de fiets overstapt op de auto zal ervaren dat hij snel kilo's aankomt, terwijl iemand die van de auto op de fiets overstapt zijn overtollige kilo's nauwelijks kwijtraakt. In het algemeen: als je opeens stopt met bewegen kom je verbluffend snel aan, maar als je bewegen na jaren stilstand hervat omdat je te zwaar bent geworden, val je nauwelijks af.

Wil je desondanks toch (weer) aan sport gaan doen, kies dan voor zwemmen. En schaats natuurlijk als ons ooit nog een strenge winter wordt toebedeeld. Maar blijf uit de buurt van die fitnesscentra. Mijd sportscholen. Als ik in Warmond langs de Pro Life Factory fiets, valt mij altijd weer op dat er nergens zoveel opmerkelijk vadsige (en vaak griezelig getatoeëerde!) vrouwen naar buiten waggelen als juist daar (er is overigens een opmerkelijk verband tussen tatoeages en overgewicht!). Zoals het mij ook altijd weer opvalt dat in bibliotheken juist hoogstzelden van die uitgesproken vadsige types tussen de schappen rondwaren als mijn getatoeëerde visboer en zijn eveneens getatoeëerde lieftallige echtgenote.

Getalterreur

In mijn jeugd gold de volgende vuistregel voor het juiste gewicht. Ga uit van je lengte, haal er een meter van af, en je weet wat je mag wegen. In mijn geval 85 kilo, want ik ben 1 meter 85. Met mijn 76 kilo zit ik daar dus flink onder. Volgens toenmalige normen woog ik te weinig. Thans heerst echter de body mass index. Die bereken je door het lichaamsgewicht in kilo's te delen door het kwadraat van de lengte in meters. Mijn BMI is 76 gedeeld door 1,85 in het kwadraat, dat is 22,22. Aangezien volgens deze norm er sprake is van goed gewicht als je BMI niet lager is dan 18,5 en niet hoger dan 25, hoef ik mij nergens zorgen over te maken.

Maar wie stelt deze norm? Krachtens welk beginsel is die BMI een betere maat dan die oude vuistregel? Is de BMI afkomstig uit de Koran of de Bijbel? Is hij gebaseerd op bevolkingsonderzoek waaruit is gebleken dat mensen met een BMI tussen de 18,5 en 25 ouder worden dan mensen die daarboven of daaronder zitten? Mij is van zulk onderzoek niets bekend. Mij dunkt dat die BMI net zo schimmig is als de eenmeterregel. We willen houvast en zo'n mooie ingewikkelde berekening met een gekwadrateerde lengte erin, waarvoor de hedendaagse mens algauw een zakjapanner nodig heeft, straalt bepaald meer allure uit dan zo'n simpele vuistregel.

Op zichzelf pleit niets tegen enig getalsmatig houvast op zo'n glibberig terrein als gewicht. Maar de ervaring leert dat zo'n getal al snel tot medische terreur leidt. Is je cholesterolgehalte wel in orde? Bloedonderzoek levert een getal en je huisarts kijkt op zijn computer en mompelt, afhankelijk van het getalletje dat op zijn scherm verschijnt: 'Nou, nou, daar moet misschien toch iets aan gebeuren.' Ongerust keer je huiswaarts via de omweg van de apotheek, waar je peperdure statines hebt afgehaald. Oei, mijn cholesterolwaarden zijn te hoog. Hetzelfde geldt voor suiker in je urine, of voor je bloeddruk. Overal heerst de macht van de getalsnorm. Zit je erboven, fout; zit je eronder, gelukkig goed, maar oppassen blijft de boodschap. Met behulp van de macht van het getal kun je hele bevolkingsgroepen medicaliseren. In het vissersplaatsje Kilboghamn te Noorwegen werd bij alle inwoners de bloeddruk gemeten. Bij maar liefst 45 procent bleek de bloeddruk te hoog. In één klap was bijna de helft van de inwoners patiënt geworden.

Misschien is bij 45 procent van de hele wereldbevolking de bloeddruk te hoog. Althans volgens de thans vigerende normen. Misschien deugt die norm niet, want mogelijkerwijs is de bloeddruk bij diverse bevolkingsgroepen veel variabeler dan we denken. Ook bij bloeddruk meet je een getal, of liever twee getallen, onderdruk en bovendruk. Wellicht schort er iets aan de meting zelf. Bij mij hangt de hoogte van de bloeddruk sterk af van degene die de meting verricht. Dus ja, hoeveel waarde moet er nu aan zo'n getal worden toegekend?

Akkoord, wat gewicht betreft is het meetresultaat niet onderhevig aan schommelingen die worden veroorzaakt door het feit dat arts A iets anders meet dan arts B. Afhankelijk van het soort weegschaal waar je op staat, kan het gewicht variëren, maar de verschillen zijn klein. In het meetresultaat is echter niet verdisconteerd wat voor type mens je bent. Heb je zware botten? Of ben je juist licht gebouwd? Weinig ook verraadt het getal dat de weegschaal aangeeft van de hoeveelheid vet die er in je lichaam is opgehoopt.

Volgens 'weight manager' dr. Ian Campbell moet je bij mannen niet naar de BMI kijken, maar naar de tailleomvang. Is die groter dan 93 cm, dan moet je oppassen. Met een uitgekiende methode, die hij Fatmanslim heeft genoemd, streeft hij primair naar vermindering van de tailleomvang. Kijk op het internet bij www.fatmanslim.com. Het ziet er veelbelovend uit, en van mijn Engelse zwager heb ik er veel goeds over vernomen.

Zelfs de BMI moeten we dus met een flinke korrel zout nemen. Staar je er niet blind op. En laat je al helemaal niet terroriseren door het getal. BMI iets boven de 25? So what? Als je je goed voelt, is er geen enkele reden om je zorgen te maken. Gezondheidsrisico? Moet je daarvan wakker liggen? Dan kun je ook wel wakker liggen van het risico dat je onder de tram loopt.

Mijn broer, met een BMI van 25,15, ziet er opvallend veel beter uit dan ik met mijn BMI van 22,22. Hij is mooi gebruind, hij oogt gezonder, fitter, hij heeft al zijn haar nog. Vrouwen die mij aantrekkelijk vinden (ja, heus, ze zijn er, vraag niet hoe dat mogelijk is), vinden hem nog aantrekkelijker, en zelfs zeer veel vrouwen die mij niet aantrekkelijk vinden, roepen als ze hem zien: 'Wat een stuk.' Dus het feit dat ik zo schraal oog, pleit allerminst in mijn voordeel.

De BMI heeft een nieuw type terreur in het leven geroepen, het slankheidsideaal. Met aangescherpte normen voor wat het ideale gewicht is, hebben we de hype van het overgewicht geschapen. En iedereen profiteert daarvan, de dieetboekenschrijvers, de gezondheidswinkels, de fitnesscentra, de fabrikanten van vermageringspillen en uiteindelijk ook, als de zaak helemaal uit de hand loopt, de dokter. Dan vergeet ik nog al die cosmetische chirurgen die een heel beste boterham hebben dankzij liposuctie, maagverkleiningen en allerhande andere ingrepen om het gewicht te corrigeren. Dergelijke rigoureuze ingrepen wijs ik af, de risico's zijn te groot. Minder rigoureus, maar effectief kan het voor mollige vrouwen zijn om lange kunstnagels te laten aanbrengen of ze zelf op te plakken. Met zulke lange nagels kun je, zoals de hoofdpersoon uit mijn roman *De zonnewijzer* merkt, niets gemakkelijk oppakken, dus je schrokt niet meer gedachteloos voor de buis een zak chips leeg. Graaien bij de supermarkt is problematischer. Ook het bereiden van maaltijden is knap lastig, en daardoor kook je eenvoudiger en efficiënter. Bijkomend voordeel: mollige vrouwenhanden met lange nagels ogen flink wat sexyer.

Breed worden in de kranten de gezondheidsrisico's uitgemeten van overgewicht, terwijl er bij het gros van de mensen met een BMI boven de 25 niets aan de hand is. Een nieuwe vorm van doemdenken heeft zijn beslag gekregen. Straks, in 2050, zo waarschuwen krant en weekblad, lijdt iedereen aan overgewicht. Maar als niemand meer mager is, is het hele probleem verleden tijd. Het ene nijlpaard kijkt ook niet met een schuin oog naar de andere hippopotamus met zo'n blik van: jij bent te zwaar.

Honderdvijftig jaar geleden was iemand zoals ik, van 1 meter 85, opvallend lang, en Louis Spohr imponeerde zodanig met zijn lengte (hij was twee meter) dat hij in zijn tijd beschouwd werd als de allergrootste componist. Tegenwoordig is 1 meter 85 een normale lengte. De normen voor wat lang en kort is, zijn eenvoudig verschoven omdat de gemiddelde lengte de afgelopen eeuw sterk is toegenomen. Zo zal het ook gaan met gewicht. De normen zullen worden bijgesteld, een BMI tussen de 25 en 30 zal als normaal worden gekwalificeerd, en de eventuele problemen die licht overgewicht met zich meebrengt zullen door medische voorzieningen worden opgelost. Nu al rijden Amerikaanse dames die zo zwaar zijn dat zij amper kunnen lopen, in scootmobielen. Zoals we nu slecht gezichtsvermogen met een bril verhelpen, zo verhelpen we straks overgewicht met scootmobiels. (Met uitgekiende vormen van ooggymnastiek kun je met name als je bijziend bent je gezichtsvermogen sterk verbeteren, maar toch wordt het boek van oogchirurg William Bates *Zie beter zonder bril of lenzen* heel weinig bestudeerd.)

Lengte brengt ook gezondheidsrisico's met zich mee. Ben je lang dan stoot je vaker je hoofd, bijvoorbeeld in de dubbeldekkers van de spoorwegen. Kon je lengte via je voeding beïnvloeden, dan zouden er dieetboeken zijn voor zowel reuzen als dwergen. Nu moet je krom lopen in een dubbeldekker, en als je opvallend klein bent, zoals Rosita Steenbeek, kun je ervoor kiezen om je hele leven op krankzinnig hoge hakken rond te strompelen.

Maar al die kinderen dan, zult u zeggen, bij wie al op jeugdigde leeftijd sprake is van overgewicht? Als zulk vroeg overgewicht inderdaad problematisch is, zal het voortplantingsucces van dit grut, of juist het uitblijven daarvan, al snel korte metten maken met deze vorm van obesitas. Mij lijkt, op de langere termijn bekeken, zulk juveniel overgewicht een groot voordeel. Als al die inerte, loodzware kinderen hun genen minder gemakkelijk doorgeven aan een volgende generatie, vindt er vanzelf selectie plaats ten gunste van wat schralere en bewegelijker types. Momenteel heeft overgewicht nauwelijks effect op het voortplantingssucces omdat de meeste mensen, vrouwen voorop, pas zwaar worden nadat ze een paar kinderen op de wereld hebben gezet, maar als een en ander verschuift, zou er sprake kunnen zijn van heilzame selectie.

Van een ander soort selectie kan ook sprake zijn bij aanpassing aan het voedselaanbod. Nu zijn we nog organismen waarvan generaties voorouders zich in de loop van de evolutie aangepast hebben aan een dieet van vruchten, noten, algen, wieren, zeebanket, en die anders dan bijvoorbeeld grote carnivoren, die juist het meest gebaat blijken te zijn met verzadigde vetzuren uit bijvoorbeeld herten en zwijnen, het meest gebaat zijn bij onverzadigde omega-3-vetzuren, zoals die in overvloed voorradig zijn in wilde zalmen en makreel. Op de zeer lange termijn kunnen we ons echter ongetwijfeld aanpassen aan het voedselaanbod van de gemiddelde snackbar. Geef ons wat eonen de tijd en wij evolueren tot een verrukkelijk vadsig, even traag bewegend organisme als de drievingerige luiaard of de zeekoe, dat het best floreert op datgene wat McDonald's te bieden heeft, tenzij men bij McDonald's alleen nog bleekselderijstengels gaat serveren. We moeten ook wel, want de zeeën raken leeg, dus de omega-3-vetzuren worden schaars. Zoals het koalabeertje in de loop van miljoenen jaren geëvolueerd is tot een organisme dat uitsluitend floreert op eucalyptusbladeren, zo kunnen wij evolueren tot een organisme dat uitsluitend floreert op patatje oorlog. Natuurlijk, daar is akelig veel tijd voor nodig, maar daarom is het ook tamelijk belachelijk om je zorgen te maken over obesitas in het jaar 2050.

Of kan het tij nog gekeerd worden? In september 2007 las ik op het internet dat de gemiddelde BMI in een jaar tijd was toegenomen, ondanks het feit dat de Nederlander gestructureerder was gaan eten (wat is dat, gestructureerd eten?), vaker was gaan ontbijten, minder tussendoortjes nam en meer was gaan bewegen. Het tij is vooralsnog dus niet gekeerd, de boekjes van Sonja Bakker ten spijt. De snackmens krijg je niet aan de snijbiet. Dwazen zoals ik, die broodmager zijn, gaan nog meer letten op wat zij eten, maar de dikzakken met weinig opleiding hebben geen boodschap aan boeken over de weldaden van quinoa, teff en zilvervliesrijst. Het lijkt mij veel verstandiger de alom aanwezige gewichtstoename blijmoedig te accepteren dan zo krampachtig te proberen daar iets tegen te ondernemen. Van oudsher zijn we, net als vrijwel alle andere levensvormen op deze wereld, gulzige organismen, en daar wij nu eenmaal, anders dan onze naaste verwanten de mensapen, ja anders zelfs dan de meeste andere organismen, allerlei opzienbarende, wellicht aan onze evolutie op stranden en in getijdenzones te danken voorzieningen bezitten om gemakkelijk vet op te slaan, is de strijd tegen overgewicht eigenlijk al bij voorbaat verloren.

Dat neemt niet weg dat u en ik uiteraard graag op gewicht willen blijven of eventueel zelfs graag wat kilo's kwijt willen raken. Wozu dienet dieser Unrat? Houd je je, zo riep de directeur van het Voedingscentrum onlangs even stoutmoedig als voorbarig, aan onze nieuwe voedingsvoorschriften, dan word je vijf jaar ouder. Klinkt goed, maar die vijf jaar krijg je er niet bij tussen je dertigste en vijfendertigste, maar onveranderlijk aan het eind van je leven als je reeds krakkemikkig bent. Die vijf jaar extra slijt je maar al te vaak in een verzorgingstehuis. Mijn moeder, thans 87, zegt me keer op keer: 'Het is vreselijk om oud te worden', en dan is ze nog goed af. Ze woont nog zelfstandig, van enige dementie is geen sprake, ze is kerngezond. Alleen beven haar handen zo hevig dat ze thee moet drinken met een rietje en (wat ze overigens al snel vertikte) aan moet schuiven bij het Heilig Avondmaal voor gehandicapten. Ook kan ze geen handtekening meer zetten. Toch deelt ze regelmatig mee dat ze erom bidt dat de Heere haar 'thuis haalt'. Toen haar huisarts haar in mijn bijzijn een griepprik wilde geven, riep ze woedend: 'Weg met die rommel.' 'Ja, mevrouw,' zei de huisarts, 'maar dan kan een griepje fataal aflopen.' 'Mag ik alsjeblieft ook nog eens een keertje sterven,' repliceerde mijn moeder snibbig.

Wij willen dus niet op gewicht blijven 'om vijf jaar ouder te worden'. Wij willen op gewicht blijven omdat je je soepeler beweegt als je slanker bent en omdat een mager iemand mogelijkerwijs iets minder risico loopt op kanker en hartkwalen en nog wat andere ongemakken, bijvoorbeeld gehavende knieschijven, dan een zwaarlijvig persoon (val je echter als dikzak van je fiets, dan vangt je vet de klap op, maar ik brak mijn been!). En dat in mijn geval nog niet eens zozeer vanwege het feit dat kanker of een hartkwaal eventueel fataal kan zijn, als wel omdat het, zoals ik na die beenbreuk merkte, een ramp is in een ziekenhuis terecht te komen. Daar creperen kan alleen maar een verlossing zijn, maar daar nacht na nacht wanhopig naar een beetje slaap te liggen smachten, dat is ronduit afschuwelijk. Overdag is het er vrij goed uit te houden, maar je wordt wel getrakteerd op verbazingwekkend ouderwetse maaltijden. Het heeft mij altijd verbaasd dat bijvoorbeeld oncoloog Bob Pinedo en kwakzalverbestrijder Cees Renckens zo rigoureus elk verband tussen voeding en ziekte ontkennen (want hoe zit het dan bijvoorbeeld met scheurbuik en beriberi?), maar toen ik in het ziekenhuis lag en slap witbrood kreeg, dacht ik: men kan zich hier uiteraard niet veroorloven te denken dat er verband is tussen voeding en ziekte, want dan zou men hier betere maaltijden moeten serveren, en dan rijzen de kosten van de gezondheidszorg inderdaad letterlijk de pan uit. Je hoeft dus niet te denken dat je in een ziekenhuis getrakteerd zou worden op kikkererwtenpuree of quorn. Nee hoor, draadjesvlees en aardappelen en tot moes gekookte groenten en jus, alsof de jaren vijftig nooit voorbij zijn gegaan!

Ik ben dus tot elk dieet bereid, mits het mij maar uit het ziekenhuis houdt. Ik wil echter ook graag op gewicht blijven vanwege esthetische redenen. Al die wanstaltig dikke lijven, ik vind de aanblik ervan ronduit walgelijk, zeker als er op die spekarmen of spekruggen ook nog tatoeages zijn aangebracht. Toch berust dat waarschijnlijk op conditionering. Je kunt, zoals uit de schilderijen van Rubens blijkt, ook plezier hebben in molligheid. Waar nog bij komt dat een sexy corset of een zwart of rood lakleren outfit een volslanke vrouw veel beter staat dan een graatmager grietje. Als mettertijd iedereen mollig is, en maatje 42 de status van maatje 36 heeft overgenomen, zal het Rubens-ideaal weer opgeld doen. Als iedereen te zwaar is, is niemand meer gezet, dan is te dik normaal, net zoals nu 1 meter 85 normaal is, terwijl het twee eeuwen geleden als uitzonderlijk lang werd ervaren. Van Jezus, zelf waarschijnlijk een klein kereltje, is de uitspraak overgeleverd: 'Niemand kan door bezorgd te zijn één el aan zijn lengte toedoen.' Welnu, niemand kan door bezorgd te zijn één kilo aan zijn gewicht afdoen. Wees dus niet bezorgd. Eet en drink naar hartelust, daarbij de volgende vuistregels in acht nemend:

Overal mag ik in bijten, mits ik daarvan flink ga schijten.

Niet ontberen, maar laxeren.

Eet met mate koolhydraten.

Niets pleit tegen veel bewegen.

Mijd suiker en zoetjes, laat staan alle toetjes.

Laatste waarschuwing tot slot:
alcohol rijmt op bol.

*

Alcohol

Stoutmoedig heb ik de afgelopen maanden aan dikzakken twee vragen gesteld: 'Heb je enig idee waarom je flink bent aangekomen?' En: 'Doe je er iets aan, en zo ja, wat?' Op de laatste vraag kreeg ik weliswaar de meest uiteenlopende antwoorden, maar onveranderlijk heb ik van vrijwel iedereen te horen gekregen dat er slechts één effectieve afvalmethode bestaat: de Weight Watchers. Dat is toch opmerkelijk. Afvallen kun je dus niet alleen; sociale dwang lijkt vereist te zijn. Mijn Engelse zwager gaf hoog op over Fatmanslim; die methode van 'weight manager' Ian Campbell kan wellicht ook effectief zijn, misschien vooral doordat er niet naar gewichtsvermindering, maar naar vermindering van de tailleomvang wordt gestreefd.

Op de eerste vraag kreeg ik juist geen uiteenlopende antwoorden. Steevast kreeg ik te horen: 'Ik eet echt niet zoveel, en toch kom ik aan.' Vroeg je dan vasthoudend door, dan bleek dat, tenzij ik door iedereen fors werd voorgelogen, ook waar te zijn. De meeste dikke mensen eten veel minder dan ik, dus hier lijkt toch sprake van een tamelijk groot raadsel. Tenzij natuurlijk de genen een beslissende stem hebben, en de een op grond van zijn of haar aanleg sneller aankomt dan de ander. Toch blijken al die dikzakken, als ik hen met mezelf vergelijk, op één onderdeel wel degelijk van mij te verschillen: ze drinken meer. Vooral wijn scoort enorm. 'Een fles per avond jagen we er samen toch wel doorheen, en dan is het zo gezellig dat we meestal nog een flesje opentrekken.' Per persoon per avond een fles! Dat hakt erin.

Wat ik ook vaak heb gehoord: 'Zomerslank met Sonja, ja, dat lijkt me wel wat, maar ik heb gehoord dat je dan niet meer dan één glaasje wijn per dag mag, en daar kan ik echt niet aan beginnen. Ze mogen me alles afnemen, maar een paar glaasjes wijn... Heus, dat moet kunnen, daar word je toch niet dik van?'

Wijn heeft, anders dan bier, niet de reputatie van een dikmaker. Maar alcohol voorkomt vetverbranding. Alcohol – bekijk de structuurformule maar – lijkt griezelig veel op suiker. Per dag een hele fles, ik denk dat dat toch flink aanzet. Bovendien krijg je als je op een vrij lege maag alcohol drinkt, dadelijk trek in eten. Drink dus uitsluitend alcohol als je al iets gegeten hebt.

Alcohol is gemeen spul. Als je je ferm voorneemt op een receptie of bij vrienden of gewoon maar thuis twee glazen te drinken, zie je dat voornemen al na het eerste glas in rook vervliegen. Dan denk je: wat ben ik toch een miezerige calvinistische sukkel. Zo'n schrielpieper die het zonnetje niet in het water kan zien schijnen, zo'n op alle fronten gemankeerde levensgenieter. Dus neem je na dat eerste glas een tweede glas (dat had je je toch al voorgenomen) en na dat tweede glas ben je aangenaam rozig en is het ongelofelijk moeilijk een derde glas te laten staan. Alcohol is het tegendeel van gestoomde makreel. Na één portie van die vette vis staat een tweede portie je al tegen. Wat je in geval van wijn of bier of jenever dus moet doen, is het eerste glas laten staan. Dat lukt het gemakkelijkst. Bij elk volgend glas is telkens een beetje remming weggevallen. Maar ja, dat eerste glas, daar waarschuwt begrijpelijkerwijs niemand voor.

Ik ben dol op wijn, dus ik begrijp zo'n fles per avond maar al te goed. Toch heb ik mezelf zover gekregen dat ik niet meer dan twee glazen rode wijn per dag drink. Dat heb ik als volgt geregeld. Ten eerste zorg ik er altijd voor dat de rode wijn die ik drink niet zo heel erg lekker is. Hoe aangenamer de wijn over de tong glijdt, hoe makkelijker je een tweede glas inschenkt. Ten tweede haal ik op de fiets een paar flessen rode wijn altijd bij een supermarkt die niet alleen zeven kilometer van mijn huis vandaan ligt, maar bovendien uitsluitend te bereiken is over een boomloze, kaarsrechte weg langs een kaarsrecht kanaal waar je de wind altijd tegen hebt. Ik heb er zo'n gloeiende hekel aan om wijn te halen dat ik mede daardoor in staat ben mij tot twee glazen te beperken. Want hoe meer ik drink, hoe vaker ik langs dat ellendige kanaal moet.

Het zijn draconische maatregelen, ik geef het toe, maar ja, ik ben ook maar een gewone, griezelig gulzige sterveling die een glas wijn bepaald niet versmaadt. Mij hoor je niet zeggen dat u ook langs een kanaal moet gaan fietsen, en u zult na dat kanaalverhaal wel vinden dat er aan mij een steekje los is, maar toch, dit staat vast: vrijwel alle dikzakken die ik het afgelopen half jaar heb gesproken drinken verbazend veel wijn. Overigens drinken ook de meeste magere mensen uit mijn kennissenkring krankzinnig veel wijn, dus moet toch geconcludeerd worden dat de aanleg om dik te worden ongelijk verdeeld is.

Niettemin werd er in de jaren vijftig volgens mij zeer zeker niet minder gegeten dan nu, en bovendien stopten de mensen zich vol met kruimige aardappels en bloemkolen met wanstaltige maizenasauzen eroverheen, terwijl over die aardappels flinke hoeveelheden jus werden uitgestort, maar drinken, dat deden de mensen om mij heen toen absoluut niet. Elke dag wijn, geen sprake van. Er werd uitsluitend op verjaardagen gedronken – advocaat, keizerbitter, boerenjongens op sap en een enkel glas oude jenever. Een overweldigend aanbod aan frisdranken was er toen totaal niet. Men dronk in feite heel weinig. Ik houd het erop dat de obesitasepidemie die wij nú aanschouwen wellicht nog eerder aan te veel drinken dan aan te veel eten te wijten is. Frisdranken, wijn en bier – dat zijn misschien de grootste boosdoeners.

Om te voorkomen dat Percy Grainger, net als zijn vader, een alcoholist zou worden, gaf zijn moeder hem als kind elke dag een lepeltje wonderolie met een paar druppels brandewijn of whisky erin. Op latere leeftijd werd Grainger al onpasselijk als hij de geur van alcoholische dranken maar rook omdat die geur voor hem zo sterk geassocieerd was met de gruwelijke stank van de wonderolie. Als gevolg daarvan heeft de Australische componist zijn leven lang nimmer wijn, bier of whisky aangeraakt. Mij dunkt: deze werkwijze van Rose Grainger verdient navolging. Als ik kinderen had, zou ik ook elke dag een paar druppels brandewijn in hun lepel levertraan gieten.

*

Aanbevolen

rode en witte quinoa
teff
amarant
gierst
spelt
gort
boekweit (grutten)
couscous
zilvervliesrijst
alle soorten peulvruchten
alle vruchten (maar voorzichtig met bananen en avocado's. Ze zijn wel gezond, vooral avocado is dat, maar ze zetten helaas ook aan)
alle groenten, liefst zoveel mogelijk rauw, of gestoomd
aardappels, maar uitsluitend gekookt of liever nog gestoomd (als het even kan in de schil), en met mate gebruikt
roggebrood
speltbrood
volkorentarwebrood (maar met mate, want tarwezetmeel zet aan)
rode wijn (maar niet meer dan twee glazen per dag)
elke dag een handje amandelen
elke dag een handje gepelde pompoenpitten
elke dag een paar gedroogde abrikozen (vooral in geval van hoge bloeddruk, en dan liefst de ongelofelijk zure Australische soorten)
alle soorten noten, vooral walnoten
tamme kastanjes (maar met mate, want ze bevatten veel zetmeel)
quorn
alle soorten zeebanket, mits verantwoord gevangen en niet bedreigd met uitsterving
zoetwatervis, mits verantwoord gevangen of gekweekt
eetbare wieren (chlorella)
eetbare algen (spirulina)
eetbare paddestoelen
yoghurt, kefir, kwark
jonge kaas (en dan liefst geiten- of schapenkaas)
hüttenkäse
eieren
karnemelk
boter, mits met mate gebruikt
olijfolie
pure chocolade
niet al te sterke thee

Vermijden

suiker, zoetjes, zoetstoffen
chips
cornflakes
patat
popcorn
aardappelpuree
witte rijst
alle soorten pasta
bami, mie, mihoen
alle soorten frisdrank, ook de light varianten
alle soorten bier, ook die zonder alcohol
witte wijn ('le vin blanc énerve,' zoals de Fransen zeggen)
pannenkoeken, tenzij gebakken van teffmeel of kikkererwtenmeel
pizza's, tenzij met een bodem van teffmeel of kikkererwtenmeel
oliebollen
witbrood
crackers
dipsauzen
alle soorten rood vlees, behalve wild (en zelfs dat met mate)
varkensvlees, tenzij afkomstig van scharrelvarkens
kippenvlees, tenzij afkomstig van scharrelkippen
kroketten, bitterballen
alle zuivelproducten waarin vruchten e.d. verwerkt zijn
oude kaas
schimmelkazen, camembert, brie (allemaal veel te vet)
volle melk (en wees zelfs met magere melk voorzichtig)
ijs en om het even alle andere toetjes die van romige melk gemaakt zijn
slagroom, zure room, crème fraîche
alle margarines en alle Becelproducten
alle soorten snoepgoed
koeken en koekjes, om het even wat voor soort dan ook
alle soorten gebak, taarten, taartjes etc.
drop (krijg je hoge bloeddruk van)
melkchocolade

Werk van Maarten 't Hart bij De Arbeiderspers:

ROMANS

Stenen voor een ransuil
Ik had een wapenbroeder
Een vlucht regenwulpen
De aansprekers
De droomkoningin
De kroongetuige
De jakobsladder
Het uur tussen hond en wolf
De steile helling
Onder de korenmaat
Het woeden der gehele wereld
De nakomer
De vlieger
De zonnewijzer
Lotte Weeda
Het psalmenoproer

VERHALENBUNDELS

Het vrome volk
Mammoet op zondag
De zaterdagvliegers
De huismeester
De unster
Verzamelde verhalen
De vroege verhalen

NOVELLE

Laatste zomernacht

ESSAYS

De vrouw bestaat niet
De kritische afstand
De som van misverstanden
Ongewenste zeereis
Het eeuwige moment
Een dasspeld uit Toela
Een havik onder Delft
Du holde Kunst
De gevaren van joggen
Johann Sebastian Bach
De Schrift betwist
De groene overmacht
Mozart en de anderen
Het dovemansorendieet

AUTOBIOGRAFIE

Het roer kan nog zesmaal om
Een deerne in lokkend postuur

WETENSCHAPPELIJKE STUDIE

Ratten